To: Casey

For the good memories in the Ecuadorian Mountains.

Looking forward to see you Again!

From: Edgar

Dec. 12th/20120

Indice

Contents

Jorge Anhalzer

Los Altos Andes del Ecuador
The High Andes of Ecuador

380º de paisaje andino

380º of andean landscape

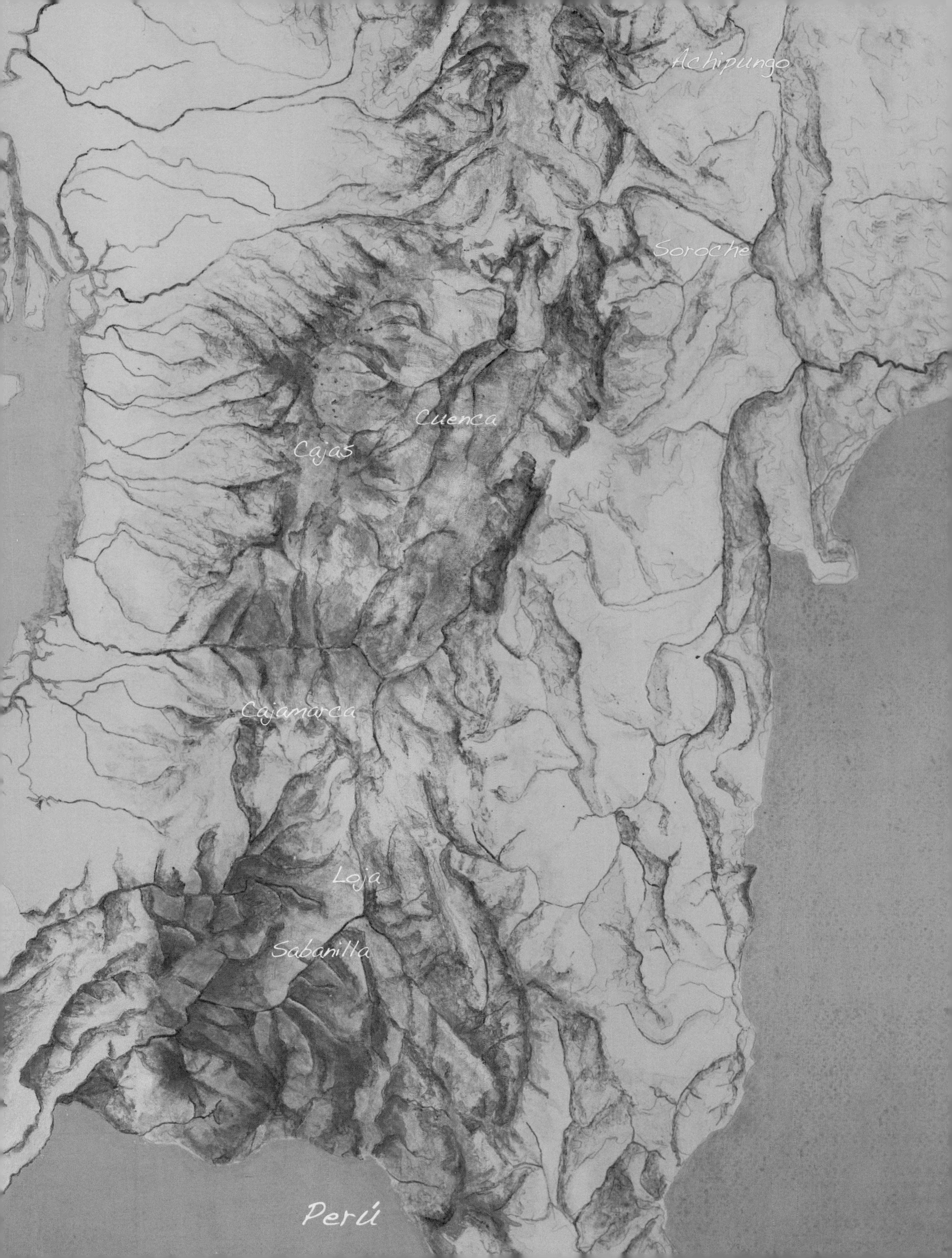
Achipungo
Soroche
Cuenca
Cajas
Cajamarca
Loja
Sabanilla
Perú

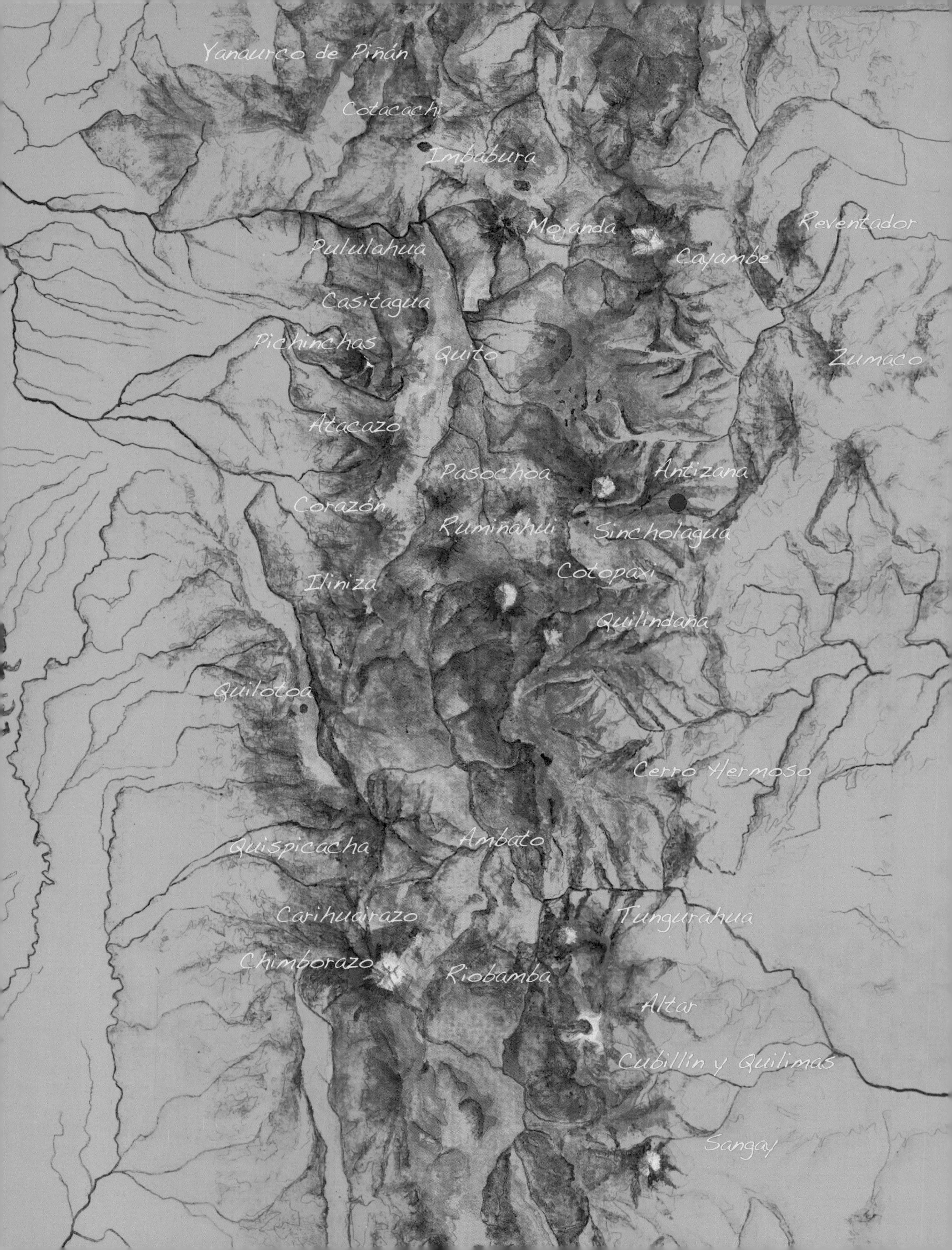
Yanaurco de Piñán
Cotacachi
Imbabura
Mojanda
Reventador
Pululahua
Cayambe
Casitagua
Pichinchas
Quito
Zumaco
Atacazo
Pasochoa
Antizana
Corazón
Rumiñahui
Sincholagua
Cotopaxi
Iliniza
Quilindaña
Quilotoa
Cerro Hermoso
Quispicacha
Ambato
Carihuairazo
Tungurahua
Chimborazo
Riobamba
Altar
Cubillín y Quilimas
Sangay

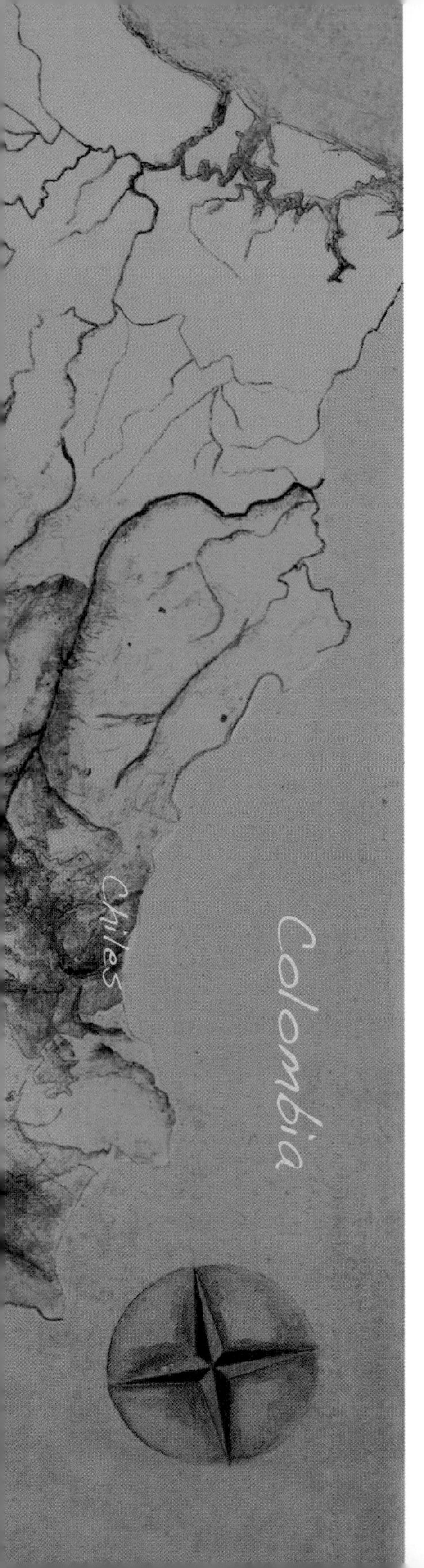

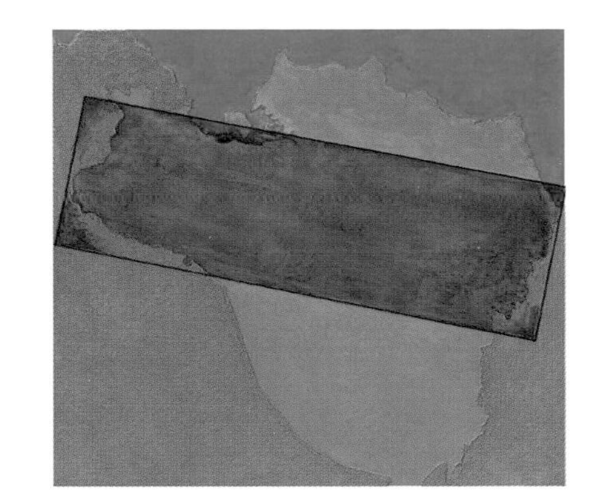

● Punto de vista de la panorámica anterior
Point of view of the panoramic picture

100 Kilómetros / 60 miles

Texto & fotografías: Jorge Juan Anhalzer
Traducción al inglés: Samantha Newport
Mapa: José Miguel Ayala
Imprenta Mariscal
ISBN: 978-9942-01767-3
Primera edición: Quito, Julio 2000
Segunda edición: Quito, Julio 2002
Tercera edición: Quito Julio 2008

Text & photographs: Jorge Juan Anhalzer
Translation to English: Samantha Newport
Map: José Miguel Ayala
Imprenta Mariscal
First edition: Quito, July 2000
Second edition: Quito, July 2002
Third edition:July 2008

La temperamental mama Tungurahua, con sus vecinos más próximos, el Altar y Sangay.
The temperamental Mama Tungurahua alongside its nearer neighbours, Altar and Sangay.

La antigua caldera del Reventador alberga el joven cono.
The ancient couldrom of Reventador has within the young cone.

Los orígenes

Es como un rompecabezas, casi siempre mal encajado de placas tectónicas que es la superficie de nuestro planeta. Hay dos piezas que interesan de manera especial en este artículo, porque ellas tienen gran influencia en el nacimiento y posterior crecimiento de las montañas que aquí nos atañen. Por un lado importa la placa de Nazca, que sumergida bajo las aguas del Pacífico viene moviéndose lentamente hacia el Este, por esto el borde oriental de la placa experimenta una perpetua colisión con la que forma Sudamérica, placa llamada continental. Más pesada y profunda; la de Nazca se hunde lentamente bajo la continental. Los científicos se refieren a este hecho como subducción y hablan de un proceso lento pero violento. Esta colisión produce tanta fricción que genera el calor suficiente para derretir los bordes en colisión de estas placas. Así se origina enorme cantidad de magma, roca líquida que a la postre se convierte en el material que los volcanes arrojan por sus cráteres.

En suma se podría decir que; los Andes ecuatorianos están construidos con suelo reciclado del lecho marino, aunque no exista paleontólogo que para probarlo encuentre fósiles marinos en las alturas volcánicas, pues se puede entender que el suelo está muy bien procesado.

En el Ecuador casi toda montaña tiene origen volcánico, incluidas las de las islas Galápagos. En nuestros Andes hay sólo cuatro excepciones a este preponderante volcanismo: El Saraurco al suroriente del Cayambe, los Llanganti con el Cerro Hermoso sobre las ciudades del Tena y Puyo, el macizo del Cubillín y Quilimas al sur del Altar, así como el del Achipungo y Soroche al sur del

The origins

The puzzle of tectonic plates which form the surface of our planet is often badly pieced together. However, two pieces are of special interest owing to their great influence on the on the birth and ensuing growth of the mountainas around us. The Nazca plate is submerged beneath the Pacific Ocean and is slowly moving east. this is why the eastern side of the plate constantly collides with the South American continent, which is basically another plate. The Nazca plate is heavier and depper and as a result is slowly sinking beneath the continental plate. Scientist refer to this as subduction which is a slow but violent process. When this collision ocurrs there is so much friction that enough heat is generated to melt the rocks of which the plates are composed. This is where the large quantity of magma originates, which, in the end, turns into the substance which the volcanoes eject from their craters.

In short, we could say that the Ecuadorian Andes are made up of recycled seabed material, although no paleontologist would be able to prove this by finding marine fossils in the high volcanic Andes because the soil is so well processed.

In Ecuador, almost every mountain is of volcanic origin, including those in the Galapagos islands. In the ecuadorian Andes are only four exceptions to this overwhelming volcanism: Saraurco besides Cayambe, the Llanganati range between Cotopaxi and Tungurahua, the Cubillin an Quilimas massif south of Altar, and the Achipungo and Soroche Massif south of Sangay. All the other mountains have either try to erupt, have erupted or

Las alturas de Cajamarca, entre Cuenca y Loja. Los Andes del sur del país son áridos y erosionados.
From the heigths of Cajamarca, between the cities of Cuenca and Loja, the eroded and dry southern Andes of Ecuador fill the landscape.

Sangay. Todo el resto de elevaciones; o quiso erupcionar, ha erupcionado, o está erupcionando.

Los orígenes de los Andes ecuatorianos se remontan por lo menos 26 millones de años. Pero los eventos más influyentes en el paisaje actual, los que han dado la forma básica actual, la apariencia moderna, vienen apenas desde hace cinco millones de años. Claro está, que estos sucesos siguen modificando la topografía hasta los actuales días, aunque el cortísimo lapso de la vida humana no nos permita percatarnos del continuo cambio.

Es común en nuestros Andes observar volcanes con sus flancos desbaratados, cumbres que lucen a sus pies inmensas calderas. Circunstancias que hablan a las claras de la personalidad explosiva de las erupciones. La lava que por ellos emana es bastante viscosa, por ello la presión se acumula fácilmente y el volcán en una explosión violenta puede llegar a esparcir todo un flanco en el valle contiguo. En este proceso los valles elevan su piso unos metros más, pero pierden en vegetación, fauna y por lo menos en primera instancia en fertilidad. Cuántos protoecuatorianos estarán por ahí; enterrados bajo cenizas y lahares.

Con explosión o sin ella, estos volcanes además de hermosos pueden ser peligrosos. Así lo atestiguan restos de pasadas erupciones, además de relatos escritos por quienes vivieron estos episodios. Verdad es que aunque la mayoría de ciudadanos y autoridades vivamos apacibles bajo el hechizo estético de nuestras montañas, hay un grupo de científicos, que despojados de la común ignorancia, pueden ver suficientes motivos para mantener una cierta preocupación. Son más de 25 los volcanes temibles,

are currently erupting.

The ecuadorian Andes are at least twenty six million years old. However, the events that have most influenced the present landscape, those which have given it its basic form and modern appearence, have occurred in the last five million years. It is clear that these events continued to change the topography today. It is common to see volcanoes with collapsed sides and large calderas. This clearly shows the explosive nature of past eruptions. The lava which spews out of these volcanoes is extremely viscose and pressure can easily accumulate. As a result, a violent eruption can spread the sides of a volcano as far as an adjacent valley. During this process the valley floors are raised by several feet, but vegetation and fauna are lost in addition to short-term fertility. One wonders how many proto-Ecuadorian there may be buried beneath ash and lahares.

With or without eruption, these volcanoes can not only be beautiful but also dangerous. Remains of previous explosions and accounts by those who lived through these historic events bear witness to this. Although we common mortals live peacefully under the aesthetic spell of our mountains, there is a group of scientist, stripped of common ignorance, who see sufficient reason to mantain a certain concern. They say there are more than 25 volcanoes we should fear. Of these, the following have shown their temperamental nature; some of which have even done so in various occasions since the Spanish first arrived here. Cotopaxi became active during the battles of conquest. The natives interpreted

Las luces en la noche revelan caminos: La lava de la Tungurahua cuesta abajo, la trayectoria de las estrellas en el cielo y los autos en las carreteras.
The nigth reveal diferent paths: The one that follows the lava, the ligth tracks that the stars leave on the sky and the ones that cars leave on higways.

de éstos los siguientes son los que han manifestado su carácter irascible, algunos recurrentemente, desde que los conquistadores españoles hollaron estas tierras: El Cotopaxi ya se anunció activo justo en las batallas por la conquista; los nativos vieron en esto un mal augurio y los forasteros aunque asombrados se aprovecharon de la situación. Más tarde, varias veces lanzó lavas que desliendo los glaciares causaron grandes correntadas (lahares), el pánico general y mucho daño. Expulsó también en 1877 cenizas que alcanzaron a los vapores que hacían el servicio entre Guayaquil y Panamá a más de 300 Km., esparciendo así rápidamente noticias de su proceder. No sólo las cenizas alcanzaron al mar, sino que los lahares llegaron al Pacífico con mucha fuerza; apenas 17 horas después de ocurrida la erupción.

El Tungurahua se despertó en 1918 sólo para caer en una ligera siesta de la cual emergió a mediados de 1999. Solidario el Guagua Pichincha que hecho el dormido se encontraba desde 1660 también quiso participar en el fin de siglo, colaborando con pirotecnia propia. El Reventador despertó en 1976 y fiel a su cíclica historia no tardó en bostezar otra vez en el 2004. El Antizana tiene dos grandes flujos de lava de apenas doscientos años de antigüedad, uno de ellos es la causa de la existencia de la laguna de Papallacta, creada cuando el valle quedó taponado. En cambio el Sangay, desde que la historia se fijó en él, jamás se ha dormido. Sin temor a equivocarse se puede decir que la última erupción de este inquieto volcán ocurrió ... ayer nomás.

this as a bad omen while the foreigners, although surprised, took advantage of the situation. Later, on several occasions, it spewed lava that caused lahares, general panic and a great deal of damage. In 1877 it also erupted ash which reached the steam ships traveling between Guayaquil and Panama in the Pacific Ocean more than two hundred miles away, thus quickly spreading news of its behavior. Not only did the ash reach the sea, but the lahares reached the Amazon and the Pacific with a great deal of strength, anly seventeen hours after the eruption actually took place.

Tungurahua awoke in 1918 but then fell into a light siesta from which it awoke mid-1999. The sympathetic Guagua Pichincha, which had been feigning sleep since 1660, also wanted to participate at the end of the millenium and collaborated with its own firework displays. Reventador stirred in 1976 and, as based on knowledge of its historical cycle, awakened once more in 2004. Antizana has two large lava flows which are only just over two hundred years old; One of them created the lake at Papallacta when it blocked the valley. On the other hand, Sangay, ever since memory began, has never stopped. It is safe to say this restless volcano has erupted... yesterday.

En el meridional nudo de Sabanilla la erosión ha dejado su huella,
los locales los llaman 'estoraques'.

The eroded slopes in the southern hills of Sabanilla,
are known by the locals as 'estoraques'

Fumarolas en el Guagua Pichincha, el temido vecino de Quito.

Fumes rise from the couldrom of Guagua Pichincha,
Quito's feared neighbour.

El Antizana está rodeado de pequeños cráteres,
en Muertepungo la lava afloró hace ya más de dos siglos.
Antizana is sourroundend by several small craters. This one known as
Muertepungo shows a lava flow that is two centuries old.

Las erosionadas quebradas del Cotopaxi
revelan las páginas de su historia geológica.
Layers of ancient eruptions shown on the ravines of Cotopaxi.

La pared inca, 'Ingapirca' en los páramos del Cañar.
The ruins of Ingapirca in the highlands of Cañar.

Estratégicas fortalezas indígenas (pucarás) en Quitoloma y Pambamarca. Tras el cono del Cotopaxi, asoma el Chimborazo y a la derecha se divisa Quito.
Vestiges of pre-hispanic fortresess in the heights of Quitoloma and Pambamarca. Behind Cotopaxi Chimborazo appears, at the rigth hand side lays Quito.

Tiempo antiguo

Los primeros humanos que aparecieron por estas tierras montañosas seguramente llegaron persiguiendo mastodontes y otras 'delicateses' culinarias. Todo indica que aparecieron desde los trópicos, hace poco más de diez mil años. Prueba de aquellos remotos tiempos han asomado, en algunos lugares de la serranía ecuatoriana, herramientas de obsidiana al lado de huesos de aquellos extintos gigantes. Claro, también han aparecido esqueletos de los antecesores, que no siempre fueron cazadores sino que hicieron también de presa. El paisaje debe haber lucido entonces bastante "prehistórico", no sólo porque los ancestros andaban cubiertos de pieles o porque deambulaban por aquí y por allá mastodontes, armadillos, perezosos gigantes y tigres dientes de sable, sino porque los glaciares en aquella época bajaban hasta cerca de los tres mil metros de altura, más o menos la actual línea donde muere el bosque y nace el páramo.

Cuando hace 600 años llegaron los incas en afán de conquista, ya encontraron en estas tierras civilizaciones bastante desarrolladas, entonces las laderas estaban ya peinadas con terrazas y los valles cubiertos con grandes surcos (camellones), sobre las lomas más altas había fortalezas (pucarás), entre pueblos y ciudades amplios caminos y algunos sitios donde se levantaban pirámides que sugieren un uso religioso. Los incas se encargaron de impulsar las obras nativas bajo su propia cultura. Aunque de esto poco nos queda. Por una triste falta de cariño que los ecuatorianos padecemos con nuestras raíces, lo que se conserva es escaso, errónea actitud muy presente todavía en la actualidad. Sobra de

Ancient times

The men who first walked this mountainous region were probably in search of mastodons and other culinary delights. Evidence shows that they came from the north over ten thousand years ago. Traces of these distant times, such as obsidian tools and bones of these extinct giants, have been found in some parts of the Ecuadorian Andes. Skeletons of our ancestors have also been discovered. During this time the country must have looked fairly "prehistoric"; not only because men wore skins, and mastodons, megaterians and saber tooth tigers roamed freely, but also because the glaciers came down to almost ten thousand feet above sea level, which is now either agriculture or forested land.

When the Incas arrived six hundred years ago, eager to conquer these lands, they encountered civilizations which were patterned with terraces and the valleys with land furrows. Fortresses stood on the highest hills, wide pathways ran between villages and cities, and religious pyramids rose up from mountain slopes. The Incas made sure they promoted native construction under their own culture. Although little remains of this today, due to a sad lack of affection that we Ecuadorians have for our roots, there is enough to lead us to believe that there was indeed a great deal. It is still not uncommon to be widening a track or laying the foundations of a house and come across remains of our ancestors. Most indigenous fortresses, or 'pucaras', are found in the high altitude moorlands, on the top of high hill or on the edge of snow-capped peaks. They are extremely well placed in that from these heights one can clearly see the valleys

En los páramos de Culebrillas quedan los despojos de un tambo incaico,
por el camino de los incas se alcanza desde aquí Ingapirca en una jornada.
In the 'páramos' of Culebrillas lie the ruins of an incan 'tambo' or resting place.
From here Ingapirca is only a day's walk away.

todas maneras lo suficiente para hacernos pensar que hubo mucho. No es raro excavar al ensanchar un camino o plantar los cimientos de una casa y encontrar vestigios de los antepasados.

La mayoría de fortalezas indígenas o "pucarás" se asientan en los páramos, en las cumbres de altas lomas o en las aristas junto a los nevados, están muy bien dispuestas, pues desde esas alturas se vigila con claridad los valles circundantes. Aunque son numerosas y está la cordillera entera salpicada de ellas, pasan estas ruinas por poco desapercibidas. Si estas paredes de piedra, levantadas en círculos una dentro de otra con fines defensivos, pudieran hablar nos contarían victorias y derrotas de mil batallas.

Los primeros montañeros de estas tierras, deben haber sido los sacerdotes indígenas que hollaron las montañas junto a unos acompañantes de probable dudosa disposición ¿Quién sabe con cuánto entusiasmo habrán ascendido a los cerros las víctimas de los sacrificios?. Se podría fácilmente imaginar una pequeña caravana indígena ascendiendo por la pedregosa arista de los Ilinizas, un par de llamas llevando cargas livianas y el viento jugando con sus lanas y el borde del anaco de una joven indígena caminando en solemne silencio al encuentro con sus dioses. La altura, el frío y el miedo disminuidos masticando coca. En el punto más alto el sacerdote invocaría a Pachacama y en su nombre descargaría un brutal golpe a la sumisa joven a quien la enterrarían como ofrenda. El sacerdote regresaría al valle con la convicción de haber hablado con los dioses y mediado

and the surrounding mountains. Although there are many fortresses and they seem to be dotted all over the mountain range, these ruins can still go unnoticed. If these stone walls, which rise up in circles one inside the other in a defensive fashion could only speak, they would tell of the victories and defeats of many battles.

However, the first mountaineers of these land, those who ventured even further, must have been the indigenous priests, who walked up these mountains accompanying people of dubious enthusiasm. Who happy could the would-be sacrifice victims have been climbing up these mountains? The Spanish chroniclers who accompanied the conquerors have said that the snow–capped peaks were worship sites for the indigenous people. For some reason the Iliniza and the Antizana volcanoes seem to have had a special attraction. Her, the chroniclers say, "the ancient people would bury their human offerings".

Almost every mountain in Ecuador is a volcano, so it is not surprising that the indigenous people worshipped them. There are many places where crops and archaeological dwellings are covered with a thick layer of ash. The frequent eruptions must have badly affected the crops on a regular basis and even changed the demography of the region.

With no better defense on which to rely, the people resorted to the priests to placate the fury of the angry mountains.

Muchas laderas fueron terraceadas antaño, como este camino al Cayambe.
Técnica indígena lastimosamente olvidada, hoy la erosión amenaza el futuro agrícola.
The remains of prehispanic agricultural terraces, as seen on the way up to Cayambe.
A technic saddly long forgoten, today erosion is fastly degrading the soils.

en las solicitudes de los suyos. La sacrificada talvez llegó a conocerlos.

Ya los cronistas españoles que acompañaron a los conquistadores mencionan que los cerros nevados eran adoratorios de los indígenas, por alguna razón hoy desconocida parecería que el Iliniza y Antizana poseían una especial atracción, que allí dicen los cronistas "enterraban los antiguos sus ofrendas humanas".

Siendo sobretodo casi todo cerro en esta tierra un volcán, no es de sorprenderse que los indígenas les hayan profesado especial veneración. Varios son los sitios en los que los cultivos y habitaciones arqueológicas están cubiertos por una gruesa capa de ceniza. Las frecuentes erupciones deben haber malogrado con cierta constancia las cosechas y hasta cambiado el mapa demográfico.

El pueblo a falta de mejores defensas, seguro recurrió a los sacerdotes para aplacar la ira de los bravos cerros.

Al pie del Cotopaxi hay vestigios de tambos y pucarás,
deben haber servido y vigilado a viajeros entre montañas y selva.
At the foot of Cotopaxi are the ruins of fortresess and inns, they probably
checked and served the travelers who walked between mountains and jungle.

Un ramal secundario del camino de inca. Cruza por los páramos,
todavía visible, desde el Cotopaxi hasta los pucarás de Pambamarca.
A secondary branch of the Inca road crosses the highlands
between Cotopaxi and the Pambamarca fortresses.

Muchos páramos están salpicados de lagunas, residuos del la erosión glaciar. Alturas de Papallacta.
Much of the higlands are sprinkled with ponds and lakes, like this landsacape over Papallacta. It is the leftovers of the glaciar age.

Los vastos páramos al sur del Cayambe.
The extensive 'páramos' south of Cayambe.

Los páramos

Tan vastos suelen ser los paisajes en el páramo que la vista se pierde en el horizonte sin obstáculo que la frene. Igual de amplio es el significado que este sustantivo abarca; son páramos pues, de manera general, las tierras altas que rodean los nevados y hacen pardos los lomos de las lomas. Pero el caminante curioso no debe sorprenderse si bajo esta común denominación encuentra, lo mismo arenales desérticos que pantanos perennes. A ratos su camino atravesará extensos pajonales, pedregales empinados o hasta bosques tan frondosos y cerrados que avanzar entre ellos se le hará tarea harto difícil. "Tierras inhóspitas" dice el diccionario acerca de la palabra páramo y el barón von Humbolt lo comparte de corazón, al referirse a ellos como: "Agrestes soledades... sujetas al embate constante de tremendas tempestades... región revuelta, azotada día y noche por la furia de los vientos y la lluvia de granizo, envuelta en nubes, escasa luz, casi nunca acariciada por un sol tibio y despejado. Loma rocallosa, inhospitalaria, casi desarbolada por la inclemencia de los elementos, en la cual frecuentes nevadas estorban el paso al viajero".

¿Será porque el clima se ha calentado en los últimos tiempos o porque además ahora viajamos con mayor comodidad? pero el páramo no parece ser el paraje tan inhóspito y desolado de antaño. Verdad es que en relación a esos tiempos, los límites inferiores de los glaciares han retrocedido por lo menos un par de centenas de metros verticales; donde hasta hace poco hubo grietas y estalactitas, hoy no hay más que roquedales, cubiertos de vegetación pionera, extendiendo la frontera

The highlands

The high altitude moorlands, or ´paramos` as they are locally called, are usually so vast that nothing interrupts one's line of vision. Furthermore, they encompass a wide range of diversity. They surround the snow-capped peaks and make the hilltops appear drab. But the inquisitive hiker should not be surprised to find deserted sandy areas and swamps. His paths will sometimes cross extensive scrublands, steep scree slopes or even forests that are so leafy and thick that to penetrate them would be near impossible. The Spanish dictionary defines the word ´paramo` as "inhospitable lands". Baron von Humboldt shared this definition wholeheartedly, and referred to them as "wild and lonely places… subject to the constant attack of tremendous storms… a tumultuous region, whipped day and night by the fury of the winds and hail, wrapped in clouds, with little light, rarely caressed by a warm and cloudless sun. A stony and inhospitable hill, almost treeless due to the harshness of the elements, and where frequent snow storms impede the traveller's path."

Maybe because the climate has warmed up in recent times or because nowadays we travel in greater comfort, but today the moorlands do not seem to be the inhospitable and desolate place described years ago. It is true that since then the lower edges of the glaciers have receded several hundred vertical feet. Where there were crevasses and stalactites, today there are only rocks where some pioneering plant has laid its roots, thus extending the border of the vegetable kingdom upward. Like the glaciers, the moorlands` borders have also

del reino vegetal ladera arriba. De la misma manera que los hielos; los páramos han mudado fronteras, perdiendo en su parte inferior la batalla contra los cultivos y ganando en la superior con el retroceso del hielo. La franja de páramos se extiende más o menos entre los 3.400 y 4.700 metros sobre el nivel del mar. Aunque ya no es raro ver a algunos arriesgados agricultores desafiando las heladas mañaneras, con sementeras de papas sobre los 4.000 metros.

Tantas tierras altas hay en el país, que veinte y cinco mil cuadrados de a kilómetro cada uno, medirían todos los páramos ecuatorianos si pudiéramos ponerlos uno al lado del otro. No hace mucho que se les consideraba tierras baldías, improductivas e indeseables. Uno que otro emprendedor los ha utilizado para criar ganado bravo u ovejas productoras de lana, otros más numerosos han descubierto el atractivo que puede ejercer en los visitantes. Pero la mayoría de los páramos todavía, hasta hace poco, eran vistos como inservibles. La ecología y la disminución de recursos, entre ellos el agua, han logrado que los habitantes de los valles los miremos distinto. Su utilidad ya no es privilegio exclusivo de caminantes o naturalistas.

moved. They have lost their fight in the lower part to crops and gained ground in the upper part from the recession of glaciers. The moorlands extend more or less from 11,000ft to 15,500ft above sea level. However, it is no longer unusual to see some daring farmers defying the morning freezes and planting potatoes at almost 12,000ft.

There is so much high altitude land in the country that if all the Ecuadorian high altitude moorlands were put together they measure approximately 25,000 square kilometres. Until recently they were considered wasteland, unproductive and undesirable. Some enterprising people have used them to raise fighting bull or wool producing sheep. Others have discovered the attraction of these ´paramos` to visitors. However, the majority of them were, until recently, viewed as useless. But environmental awareness and the reduction of resources, mainly water, have caused valley inhabitants to see them differently hikers and naturalists are no longer the only people to use these high altitude moorlands.

Las almohadillas en páramo pantanoso, Cayambe 4.200 m.
Damp 'páramo' on an ancient glacial valley, Cayambe 13,800 ft.

El páramo en los rincones protegidos, Ilinizas 4.000 m.
The 'páramo' inside wind protected creeks, Iliniza 13,100 ft.

El páramo desierto en los arenales del Cotopaxi 4.200 m.
Dry 'páramo' on the sandy sourroundings of Cotopaxi 13,800 ft.

El páramo de frailejones en la zona del volcán Chiles 3.600 m.
Cattle herder in the 'páramo' of Voladero at 11,800 ft.

Muchas tierras altas son haciendas, crían ovejas, alpacas y 'ojo' caminantes, sobretodo ganado bravo. Antizana
Most of the highlands, supports extensive haciendas. They raise sheep, alpacas and in many cases, trekkers be aware, fighting bulls. Antizana.

Achupallas en flor en los páramos del Antizana, 4.000 m.
Achupallas in flower in the 'páramos' of Antizana 13,000 ft.

Las alturas de los páramos del Cajas sobre Cuenca.
The heigths of Cajas over the city of Cuenca.

A la cumbre del cerro Chiles lo corta una línea invisible
pero muy marcada, al norte Colombia mientras el sur pertenece a Ecuador.
The summit of Chiles is dissected by a political line, to the North lies
Colombia, the South belongs to Ecuador.

El Cariyacu desagua las tierras próximas al Antizana,
en el bajo páramo cruza por un espeso bosque de *polylepis*.
The Cariyacu river runs off Antizana highlands,
as it leaves the 'páramo' it crosses a forest of *polylepis*.

Frailejones se llaman comúnmente estas plantas, si se las ve
entre la neblina semejan monjes rezando. Alturas de Llanganati.
These plants are called 'frailejones' or 'friars' as in the mist
they resemble praying monks. Llanganati range.

Laguna de Nunalviro en los altos páramos entre el Antizana y Cayambe.
The Nunalviro lake in the high 'páramos' between Antizana and Cayambe.

Los húmedos páramos al sur del Cayambe.
The humid highlands South of Cayambe.

Cotopaxi, 1862 Frederick Church
Photograph © 1985
The Detroit Institute of Arts

Ilustres exploradores

A su llegada los conquistadores españoles se enteraron de que entre otros, el Iliniza era un adoratorio. No habrán imaginado ofrendas doradas que siendo tan ansiosos no fueron tras ellas. En verdad sólo visitaron la montaña siguiendo algún elusivo tesoro o un indígena fugitivo. Las cumbres desaparecen de la historia por muchos años a no ser por la eventual erupción que lograba que los feligreses levantaran la cabeza al cielo y se acordaran de los cráteres y clamando auxilio también de los santos habitantes de los cielos. Entonces quedaba constancia de las procesiones y su intención de aplacar a los temibles volcanes.

El desinterés por las alturas no habría de perpetuarse. El territorio del actual Ecuador ha funcionado como un imán para atraer a célebres individuos que impulsados por la sed de conocimientos trataron de develar algunos de los misterios de la época. Arriesgar en desfiladeros y cimas, con equipos rudimentarios y escaso saber no fueron obstáculo ante espíritus tan tenaces. En nombre de la ciencia recorrieron con sus mentes más allá del horizonte y con sus pies ascendieron a montes nunca antes hollados.

Difícil completar la lista de los ilustres viajeros. Destacan el grupo francés español comandado por Charles Marie Louis de la Condamine que vino en 1735 a medir un grado del meridiano cerca a la equinoccial. Para hacerlo cruzaron los Andes ecuatoriales de norte a sur. Proyecto que les obligó a subirse sobre algún que otro cerro y que entre otros logros dió a luz a la muy popular y útil medida; el metro.

Illustrious explorers

During the conquest and the first century of Colonialism, climbing mountains was unheard of, back then, most Europeans were only drawn to the great heights when there was treasure involved, although they were also interested in the natives whom they always suspected of hiding such treasures. This is why they pursued these natives relentlessly over high altitude moorlands and mountains. However, in time the natives became completely submissive, and lost their urge to flee. Their masters exploited them, in agriculture or in textile mills, to make up for the treasures that were never found. The high Andean peaks are rarely mentioned in history books written during these years, unless there was an eruption. This was capable of attracting the attention of all inhabitants, regardless tale of religious processions to pacify the revered volcanoes. But this lack of interest in mountains was not to last.

There must be some reason why Ecuador's present territory has been like a magnet to famous people.Could it be due to the enormous diversity that is squeezed into such a small area? Men have passed through here who have engraved their name in history. Scientists driven by a thirst for knowledge, trying to uncover some of the mysteries of the universe, have risked their lives in gorges and on mountains. Rudimentary equipment and basic knowledge did not stop these tenacious adventurers. In the name of science their mind travelled beyond the horizon of human knowledge; and they climbed mountains where no man had gone before.

It is difficult to say where the list of pioneers

Uno de los tantos cuadros de la iglesia de Baños que ilustran los portentosos milagros de la Virgen del Agua Santa.
One of the many paintings in the church of Baños depicting the miracles performed by the local deity, the Virgen del Agua Santa.

El Barón Friedrich Karl Heinrich Alexander von Humbolt recorrió estas montañas en 1802. Estudió la flora, fauna y geología, pesó el aire de las alturas, contempló las estrellas y se fijó en cuanta otra cosa llamara su enorme curiosidad. Hombre universal dedicó tiempo también al romance, aunque no siempre fuera ortodoxo. Bautizó a esta serranía como "La avenida de los volcanes". Subió a la cumbre del Guagua Pichincha "la montaña que hierve", coincidiendo con el inicio de un despertar volcánico. Los quiteños de entonces, igual que los de ahora, cuando el volcán se demuestra una vez más inquieto, han dicho que "El herético alemán había provocado deliberadamente el temblor, al arrojar pólvora en las entrañas del volcán". Igualito opinan ahora, casi doscientos años después los habitantes de la ciudad; sólo que el herético de turno viene a ser el alcalde de Quito, que a decir de algunos incrédulos, suspicaces y poco iluminados quiteños; "busca distraer a los ciudadanos de problemas cotidianos, enviando helicópteros, en contubernio con los militares, a bombardear el cráter del Guagua Pichincha".

En sus correrías Humboldt intentó una ascensión al Chimborazo, aunque no la culminó. Pese a que sus descubrimientos científicos fueron mucho más trascendentales, fue esta aventura la que lo convirtió en hombre famoso. En Europa en cuanto a popularidad; después de Napoleón, Humboldt. El explorador recordó siempre con gran cariño este episodio y clamó hasta cerca de su muerte que: "De todos los mortales yo era el único que había alcanzado lo más alto del mundo".

begins. Charles Marie Louis de la Condamine stands out, along with the rest of the French and Spanish who came in 1735 to measure a degree of a meridian near the Equator. In order to do this they drew a line that crossed almost all the Ecuadorian Andes from North to South. The project forced them to climb several mountains, and among other successes,brought to light common and very useful measurement: the meter in 1802.

Baron Friedrich Karl Heinrich Alexander von Humbolt also travelled across these mountains and their valleys. He studied flora, fauna and geology. He weighed the air at altitude. He studied the stars, and any other phenomena that caught his attention. This worldly man also dedicated time in these parts to romance, although he was not always orthodox. He christened this mountain chain "the Avenue of Volcanoes". Among many climbs he reached the peak of the Guagua Pichincha volcano, "the mountain that boils" just as it awoke. Back then, the inhabitants of Quito said that the "heretical German deliberately caused the tremor by throwing powder into the core of the volcano". People think the same today, almost two hundred years later. The only difference nowadays is that the heretical man is the mayor of Quito. Some incredulous and suspicious people say that the mayor, in conspiracy with the military, seeks to distract citizens from daily problems by sending helicopters to bomb the crater of Guagua Pichincha.

During his travels von Humboldt also tried to climb Chimborazo. Although his attempt was unsuccessful and despite the fact that his scientific discoveries were

S SIEMPRE AMPARADO DE LA MADRE DE DIOS EN LAS ERUPCIONES DEL TUNGURAHUA.— En el año del Señor de 1.797, día Sábado 4 de Febrero, el Tungurahua hizo erupción la más espantosa de todas, porque fué seguida de terremotos. La gran Ciudad de Riobamba fué sepultada, Ambato y Latacunga
lileo, su grandioso templo, fábricas importantes, y toda la población fué destruída por completo, además arrasada por la candente lava arrojada de las vertientes de la Moya; todos los pueblos circunvecinos fueron destruídos; el pueblo de Baños tan cerca al Volcán, apenas sufrió unos pequeños desperfectos: *la Madre de Dios le ampara*
ubo otra terrible erupción: a las 10 a.m. se oscureció la atmósfera para dar lugar a una apocalíptica escena: relámpagos incesantes, truenos y bramidos espantosos, cuyo eco repetían los gigantescos peñascos que a su vez eran partidos por medio, para dar paso a ríos de fuego que arrasaban todo. Al tercer día, de los ocho que duro
a comisión con la orden de trasladar a Patate la Sda. Imágen de Ntra. Sra. de Agua Santa. Al pretender pasar el río Bascún por un puente provisional, bajó un aluvión de hirviente lava rebosando el cauce, en medio de bramidos aterradores del volcán, que impidieron el traslado; por tres veces intentaron pasar el río, sin lograr en ninguna. Entó
si todos habían huído despavoridos a los cerros vecinos) estos advirtieron a la comisión, ser avisos del Cielo esas dificultades que impedían el paso: después de convencerlos, llevaron a la Sda. Imágen al cerro Runtún. (allí en una casilla improvisada pasaron los fieles tres días rezando el Sto. Rosario) dos días después cesó el cataclismo. *La Madre de Dios no abandonó a su Pueblo predi*

El Barón von Humboldt camino al Chimborazo.
Alexander von Humboldt en route to Chimborazo.

En 1853 asomó por acá el pintor Frederick Erwin Church, él se enteró acerca de estas tierras leyendo el libro Cosmos, donde Humboldt describía sus interpretaciones científicas y sus comentaba acerca de las altas cumbres nevadas del Ecuador. El artista retrataba los volcanes. Sus clientes comisionaban obras que eran una mezcla de realismo científico y romántica imaginación. Uno de ellos llegó al extremo de pedir al pintor que trajera, a su regreso, una piedra del Cotopaxi. Cuando el cuadro estuvo acabado, el hombre comparó el color de la piedra con el de la pintura, quedando del todo satisfecho.

Tal fue su impresión con estos paisajes andinos que los dos mil bosquejos que se llevó no le bastaron, a los pocos años estuvo de regreso por más. Su cuadro "The heart of the Andes" concitó la atención de sus paisanos norteamericanos sobre estas montañas tropicales, tanto así que la gente en Nueva York hizo fila y pagó para verlo. A varios observadores inquietó lo suficiente la imagen, como para que se vinieran a ver el original en tierras ecuatoriales. Hoy el Chimborazo de Church se exhibe en el museo Metropolitano de Nueva York.

Pero fue Edward Whymper, que llegó en 1879, el hombre que más influyó en la historia de los Andes tropicales. Traía entre sus logros el haber sido el primero, tras siete intentos, en vencer los obstáculos que defendían la cumbre del Cervino (Matterhorn), temible y legendario pico de los Alpes suizos. Entre sus intenciones figuraba la de llevar a cabo estudios sobre las reacciones del organismo humano a las grandes alturas. El Chimborazo le

more important, it was this adventure that brought him fame. Indeed, in Europe von Humbolt was the second most popular man after Napoleon.The explorer always remembered this event on the heights of Chimborazo fondly, and claimed until this death that "of all mortals I was the one who has climbed the highest on earth."

In 1853 the painter Frederick Erwin Church arrived in Ecuador. He had read about this land in the cosmos book, where von Humboldt described his scientific interpretations of the physical world and the high snow capped peaks of Ecuador. The artist painted in the River Hudson school style and wanted to paint volcanoes. His clients commissioned works that were a mixture of scientific realism and romantic imagination. One of them even asked the painter to bring back a rock from Cotopaxi. When the painting was finished, the man compared the colour of the rock with that of the painting, and was completely satisfied. Church was so impressed with the Andean scenery that the two thousand sketches he took home were not enough .A few years later he returned for more. His painting "The heart of the Andes" attracted the attention of his North American country men to these tropical mountains, so much so that people actually queued and paid to see it. some observers were so moved by the image that they came to see the volcano itself in Ecuador. Today Church's Cotopaxi is exhibited in the Metropolitan museum in New York.

Edward Whymper, who arrived in 1879, had the greatest influence in mountaineering history on these tropical Andes. Among his achievements he was the first man,

Un tambo camino al Saraurco, Edward Whymper 1879.
A 'tambo' or inn in the way to the first ascent of Saraurco, Edward Whymper 1879.

ofrecía las dimensiones adecuadas para hacerlo y por otro lado la república del Ecuador le daba el acceso fácil, que en esos años no se conseguía ni en los países que rodeaban a los Himalayas, ni en los que están los picos de los más altos Andes meridionales. Apenas al mes de haber desembarcado en el puerto de Guayaquil ya se paseó por la cumbre del Chimborazo, no sin antes experimentar en carne propia los efectos de la altura, a los que intentaba estudiar, y que le ocasionaron más de un "soroche", que es como los nativos llamamos al mal de las montañas. Su variado interés en temas que iban desde la arqueología a la entomología, pasando por la política y las artes, llevaron a Whymper a lo largo y ancho de los Andes ecuatorianos. De la mordida de sus crampones sólo se salvaron el difícil Altar, el explosivo Sangay y el empinado Iliniza Sur, que cayó sin embargo ante el asedio de los guías italianos Jean Antoine y Louis Carrel que lo acompañaban.

A más de los aquí mencionados hubo otros numerosos hombres de ciencia, artistas, diplomáticos, aventureros y curiosos. Muchos de ellos cuentan sus impresiones en escritos, otros en dibujos, pinturas o grabados. La lista bibliográfica, que han producido el gran número de viajeros ilustres que por estas tierras cruzaron, es extensa.

Científicos y exploradores todavía recorren por estas montañas, pero son opacados en número por los muchísimos deportistas que desde todos los rincones del planeta llegan hoy en día a conquistar las cumbres de los volcanes; tan altos pero tan asequibles.

after seven attempts, to overcome the obstacles of the Matterhorn, the much feared peak in the Swiss Alps. He also planned to study the reactions of the human body at high altitude. Chimborazo provided the perfect location to do this. In addition, Ecuador was accessible, while the countries that surround the Himalayas and the ones that are home to the highest Andean peaks, were closed due to political reasons. Barely one month after arriving in the port of Guayaquil, Whymper had already reached the peak of Chimborazo. However, this was after experiencing high altitude, which on more that one occasion caused him "soroche", as the Indians call mountain sickness. His varied interests, which ranged from archaeology to entomology and from politics to the arts, took Whymper the length of the Ecuadorian Andes. Few mountains escaped the bite of his crampons, including the formidable Altar, the explosive Sangay and the steep South Iliniza. The latter did, however succumb to the Italian guides Jean Antoine and Louis Carrel who were accompanying Whymper.

In addition to the above mentioned pioneers, there were others, including scientists, artists, diplomats, adventurers and inquisitive men. Many recount their impressions in writing, others in drawings, paintings or sketches. The bibliography produced by these famous pioneers who travelled this land is extensive. Scientist and explorers still roam these mountains. But they are overshadowed in number by the many sportsmen who come from all corners of the globe to conquer these peaks that are still as high as before but certainly more accessible.

LA DORMIDA DE MAYORAZZO.

El Altar visto por el pintor ecuatoriano Rafael Troya, 1918.
Altar as seen by the ecuadorian painter Rafael Troya , 1918

El Cotopaxi según lo vieron los científicos españoles Jorge Juan y Antonio de Ulloa en 1734.
Cotopaxi as seen by the Spanish scientists Jorge Juan and Antonio de Ulloa in 1743.

R. Troya 1918

Casi toda quebrada, páramo, loma y cerro tienen un nombre indígena, que evoca alguna característica muchas veces hasta evidente.
Almost every landmark has an indigenous name, mostly describing a clear characteristic.

El curandero del mañana o Cayambe.
Healer of the future or Cayambe.

Topónimos

Así es que casi todo cerro, loma, quebrada o río está bautizado en lenguas indígenas. La mayoría de ellos en quichua y alguno que otro, en lenguas hace rato fenecidas. A estos nombres quichuas los ha corrompido el tiempo y el castellano. De las traducciones que se les otorga hay algunas confiables pero otras no tanto. En algunos casos éstas han sido interpretadas por ciudadanos henchidos de patriotismo, que les han endilgado significados harto rimbombantes, bastante extensos y muy improbables. En otras circunstancias los traductores han sido personas entusiastas o románticas pero ignorantes, que han propuesto alternativas antojadizas todavía peores.

No habiendo vivo nadie que haya estado presente en la época del bautizo de todas estas montañas, no queda más que echar mano, en algunos casos, de la especulación razonada e intentar algunas aventuradas, pero en algo justificadas interpretaciones.

A manera de advertencia cabe señalar que en el quichua no existen las vocales o ni e, impuestas en la toponimia algo castellanizada al transformar la u en o y la i en e. Hay también nombres compuestos; con el castellano y con otras lenguas anteriores al quichua y hoy poco conocidas.

Cotopaxi: Muy bien podría venir de estos dos vocablos quichuas; cutu que se entiende como cuello, aunque en realidad se refiera al bocio (hinchazón de la pituitaria, glándula situada en el cuello, debido a la falta de yodo, situación común en los Andes ecuatorianos hasta el siglo XX), y pachi que es quebrado. No hace falta

Toponimius

Almost every mountains, hill, stream and river has been named in an indigenous language, mostly in Quichua (spoken by the Incas), but some in languages that are long dead. The Quichua names have been distorted by time and by translation into the Spanish language, in some cases accurate, in others not.

Occasionally the names have been interpreted by overpatriotic people who have given them pompous meanings that are not only exaggerated but also highly improbable. Other translators have been too enthusiastic or romantic, and also ignorant and have thus proposed even worse alternatives.

No one who was present during the naming of these mountains is alive today, and so in some cases there is no choice but to resort to speculation and to try some adventurous yet justified interpretations. It is worth noting that in Quichua neither the vowels 'o' nor 'e' exist. They have been imposed on the Spanish-influenced place names by transforming the 'u' into 'o' and the 'i' into 'e'. In addition, there are other compound names made up of words coming from Spanish or long dead and unknown languages.

Cotopaxi could easily derive from the following two Quichua words: 'cutu' which can mean neck, although it really refers to the goitre, and 'pachi' which means broken. It does not take a great deal of imagination to make out the form of a headless poncho in this volcano. **Tungurahua**, another active volcanic cone, has a name whose roots could lie in the word 'tunguri', which

El 'Cerro Majestuoso' otrora llamado Capacurcu, más recientemente conocido como Altar.
The 'Majestic one' once upon a time Capacurcu and now a days known as Altar.

mucha imaginación para ver en este simétrico volcán a un cuello hinchado y carente de cabeza. Alguna relación tiene esta interpretación con la siguiente.
Tungurahua: Este cerro que también es cono volcánico y activo, tiene un nombre cuyas raíces podrían estar en tunguri que quiere decir esófago y rawa que es igual a fuego. Claro aquí también pese al gran tamaño de la montaña hay cuerpo pero no cabeza. Viene el Tungurahua a ser un cerro con hartas agruras y reflugos.
Chimborazo: Capaz que procede del verbo chimbana que se traduce como cruzar al frente y de razu que es nieve. Es así que el nudo de Sanancajas o paso de Urbina al pie del Chimborazo es muy alto con sus 3750m, más alto todavía son los 4000m necesarios para remontar El Arenal en el camino a Guaranda. Fácil es ver las huellas de glaciares que recientemente cubrían estos altos páramos, más fácil es deducir de las crónicas antiguas que estas alturas permanecían regularmente cubiertas de nieve, campos nevados que los indígenas se veían obligados a atravesar en los viajes entre los valles de Riobamba, Ambato y Guaranda.
Cotacachi: Es un volcán por largo tiempo inactivo y vecino de un valle llamado Salinas, donde haciendo honor al nombre hasta hoy se explota la sal que disuelta asoma en sus tierras. Será que de ahí nos viene el nombre; cutag que se traduce como el que muele y cachi que equivale a sal.
Capacurco: Le llamaban los indígenas al que hoy llamamos Altar. A ciencia cierta poco se sabe de la razón para el cambio de nombre, pero el original era muy descriptivo al rato de calificar la montaña más bella que en el Ecuador tenemos; Capac significando majestuoso o

means oesophagus and 'rawa' which means fire. Again, despite the mountain's large size, it takes on the form of a body with no head and with a clear case of acid indigestion.
Chimborazo could come from the verb 'chimbana', which means 'to cross', and 'razu', which refers to snow. The Sanancajas knot or Urbina pass at the foot of Chimborazo is very high 13,000ft. The Arenal pass, en route to Guaranda, is even higher at 14,000ft. The traces of the glaciers that recently covered these high altitude 'paramo' are very clear, and it is easy to deduce from ancient tales that these highlands were regularly covered with snow. The indigenous people had to cross these snowy fields during their journeys between the valleys of Riobamba, Ambato and Guaranda.
Cotocachi, a volcano that has long been inactive, lies next to the Salinas valley, which continues to honour the mountain's name. The volcano's name may derive from the fact that dissolved salt is found in the ground and continues to be extracted today. 'Cuta' translates as he who grinds`s and 'cachi' means salt.
Altar, used to carry the indigenous name of Capacurco. It is with Corazón the only mountains whose names has been changed. No one knows how this came about, but the original name was very accurate in describing Ecuador's most beautiful mountain. 'Capac' means majestic or wonderful and 'urcu' means mountain.
Antizana, comes from 'anti', which means ´where the sun comes up`, refering to the East. 'Anti' is a Quichua word that is the origin of the names by which the great

El 'Criadero de los Peces Preñadilla'. (*astroglepus sp.*) o Imbabura.
'Hatchery of the Preñadilla fish' (*Astroglepus sp.*) or Imbabura.

maravilloso y urcu cerro.
Antizana: Proviene de anti que quiere decir por donde se levanta el sol, si de puntos cardinales se trata significa el Este. Anti es palabra quichua, que también es el origen del nombre con el que se conoce a la gran cordillera, que abarca a todas estas montañas, pues de ahí nace Andes. De zana no atrevo ningún intento.
Morurco: Al Sur del Cotopaxi y adosado a éste, justo al borde de los glaciares, se levanta este cerrito que seguramente es un desvío de magma de la chimenea principal del gran volcán. Desde el valle y relativo al gran Cotopaxi no parece más que un grano, una piedra superpuesta. Igual les habrá parecido entonces a los antiguos que muru viene de grano y urcu de cerro.
Carihuairazo: Vecino del Chimborazo, pequeño nevado , este cerro lleva un nombre que se desglosa de esta manera; cari que significa hombre, huaira es igual a viento y razu a nieve. Cierto es que su afilada arista es un lugar ventoso y era hasta hace poco gruesa su capa de glaciar, así como sabido es que la mitología lo pone de varón aunque sin suerte, al haber perdido la batalla frente a su iracundo y más poderoso vecino, el taita Chimborazo.
Yanaurco: Varios son los cerros que llevan este nombre, entre los más importantes están el de Piñán, al norte del Cotacachi, hay otro al norte del Mojanda. Ambos tienen un aspecto sombrío, los bosques de altura que trepan por sus laderas los oscurecen todavía algo más. Yana es negro y urcu es cerro.
Zumaco: Es un volcán que se levanta desde la planicie amazónica y está rodeado de selva. A ese gran cono que rompe la monotonía del paisaje y que por no tener rival se

mountain range, embracing all of these mountains, is known: it is from 'Anti' that we get Andes. I dare not attempt a translation of 'zana'.
Morurco, is attached to the South side of Cotopaxi and is adjacent to the glaciers. It is almost certainly formed from a magma deviation from the main chimney of the great volcano. From the main chimney of the Cotopaxi, it looks no more than a pimple or a superimposed stone. It must have looked the same to the ancient people. 'Muru' can be translated as pimple and 'urcu' as mountain.
Carihuairazo, Chimborazo`s neighbour, is small and low but is nevertheless covered in a great deal of snow. This mountain carries a name that can be explained in thus: 'cari' means man, 'huaira' means wind and 'razu' snow. Its sharp ridge is very windy and its layer of snow was, until recently, very thick.
Yanaurco, many mountains carry the name Yanaurco. Two of the most important are piñan, to the North of Cotacachi, and one of the peaks in Mojanda. Both have a gloomy appearance and the high altitude forests growing on their slopes make them look even darker. 'Yana' means black and 'urcu', as we have already noted, is the word for mountain.
Zumaco is a volcano that rises up from the Amazon basic and is surrounded by rainforest. The great cone breaks the monotony of the flat, green scenery and can be seen from very far away, unrivalled by any other peak. The ancient natives must have considered this volcano beautiful, as 'zumac' is the adjective for beautiful.

El Rumiñahui o 'Cara de Piedra'.
'Stone face' or Rumiñahui.

'El libre' , "el liberador' o Quispicacha.
'The Free One' or Quispicacha.

En quichua Ili es enfermo y nishca es supuesto, ¿que desconocida razón justifica este bautizo de 'hecho el enfermo' al Iliniza?
This name of Iliniza can be translated from Quichua as 'ili' meaning sick and 'nishca' from supposedly. The supposedly sick one.

lo puede ver desde bastante lejos, le habrán visto mucho de bello los antiguos nativos, pues zumac es el adjetivo para hermoso.

Pasochoa: Más cercano a los valles que a las cordilleras, alejado de sus hermanos cerros y algo oscuro por el bosque andino que lo cubre, así son las breñas del Pasochoa. Será por eso que los antepasados le han bautizado de esta manera; pasu que significa viudo y chu solitario.

Rumiñahui: Vecino del Cotopaxi, agreste y pétreo, de inequívoca traducción; rumi viene a ser piedra y ñahui cara u ojo. Así se llamó también el último de los generales incas, el que más guerra dio a los conquistadores. Vaya uno a saber qué apariencia tendría la faz de este legendario indígena.

Imbabura: Parecería originarse en el hecho descrito por varios historiadores, cronistas y científicos acerca de la gran cantidad de los pequeños peces llamados preñadillas que habitaban las lagunas y arroyos cercanos a este cerro y que se desparramaban en tal abundancia con ciertas inundaciones que se creía que el cerro erupcionaba peces. Así tenemos que imba es el nombre para preñadilla y bura quiere decir criadero.

Saraurco: Será algún vegetal o talvez una leyenda la que sugirió el nombre de este pequeño pero otrora glaciado cerro, escondido tras el Cayambe. Los indígenas se han referido a él como; sara que es maíz y urcu ya sabido que viene de cerro.

Cayambe: Caya se usa para referirse al mañana, al futuro. Jambi es un sanador, un curandero. Al pie de este nevado diseminados están los restos de varios adoratorios indíge-

Pasochoa, lies closer to the valleys that the predominant mountain ranges. It is a long way from its fellow mountain and appears rather shady due to the Andean forest that covers its slopes. It is perhaps for this reason that the ancestors named it the following way: 'pasu' means widow and 'chu' alone.

Rumiñahui, the wild and rocky mountain, is Cotopaxi`s neighbour and has an unambiguous translation. 'Rumi' comes from stone and 'ñahui' face or eye. One of the last Inca generals, who presented the greatest challenge to the conquerors, also carried this name. It makes one wonder what his face looked like.

Imbabura, appears to originate from facts described by various historians, chroniclers and scientists regarding the great quantity of small fish, called 'preñadillas', which live in the lakes and streams near the mountain. 'imba' is the name for preñadilla and 'bura' means hatchery.

Saraurco, a small but icy mountain hidden behind Cayambe, may derive its name from one of our most useful vegetables. The indigenous people use 'sara' for corn and 'urcu'', as we know, means mountain.

Cayambe`s name comes from 'caya'', refering to tomorrow or the future, and 'jambi', which is a healer or a quack. There are many remains of indigenous sites of worship scattered at the foot of this snowcapped volcano. It must have had magical powers to have been baptised with such a unique name.

Illiniza: the name of this mountain is distinctive, it s translation from quichua means the ¨supposedly ill one¨.

'El Bello' o Zumaco.
The 'Beautifull One', or Zumaco.

nas. Algún mágico poder deben haberlo reconocido para bautizarlo con nombre tan singular.
Iliniza: Curioso es el caso de este cerro que puede traducirse como el 'supuesto enfermo', al sur del Pichincha hay otro pequeño cerro que se llama Ungüi, palabra que también significa enfermo. ¿Será que en su cercanía la gente enfermaba?
Puntas: Puntas se llama ahora a las numerosas puntas que rodean la caldera de este cerro, pero antaño se llamaba apropiadamente Ashcuquiru que se traduce como 'diente de perro'.

Aparte muchos cerros menores, ríos, lagunas y llanuras suelen llevar nombre quichua que suele describir algo del cáracter de dicho sitio. Varios pasos montañosos y altos páramos se llaman Cajas, palabra que significa lugar montañoso, así el nudo de Tiocajas son las 'montañas de arena'. Pamba o bamba es llanura y así mismo hay una Tiobamba que hoy en día se pronuncia Riobamba, 'llanura de arena'. Además hay varias Rumipambas, Turubambas o Ugshapambas; en su orden llanuras de piedra, de lodo o de paja. Pungu es puerta y se utiliza además para referirse a los pasos en montaña, así en el Cotopaxi, Limpiopungo es 'el paso dc limpios'. En varios páramos hay pasos llamados Huairapungo, sitios donde el viajero probablemente se encontrará con el viento. Existen además algunos Ayapungo donde aya se refiere a los espíritus o peor aun a la muerte, ¿A qué razones obedecerá semejante nombre?.

Yacu es agua y es también río, hay un 'río grande', Jatunyacu, muchos 'ríos negros' Yanayacu y un par de Tamboyacu que son los ríos en cuyas orillas los

South of Pichincha there is another mountain, called Ungüi, which also means sick. Could it be possible that people nearby would often get sick?
Puntas is the name of the numerous peaks that surround the caldera of this old mountain. In the old times it was appropriately called Ashcuquiro, which in quichua means ¨dog's teeth¨.

Many small mountains, rivers and lakes, have quichua names that describe particular characteristics of the place. Several high mountain passes and ¨**paramos**¨ are called Cajas, word that stands for mountainous, the mountain pass of Tiocajas, means sandy mountains. Pamba or bamba is a plain, the original name of the city of Riobamba is actually Tiobamba or ¨sandy plain¨. There are several Rumipambas, Turubambas and Ugshapambas, correspondingly, plains of rocks, mud and straw. Pungu means gate and is commonly used in reference to high mountain passes; in Cotopaxi, Impiopungo refers to the ¨door of the clean ones¨. In several **paramos** there are passes called Huairapungo, where a traveler will most likely encounter the wind. Places by the name of Ayapungos refer to the spirits, or even worse, death. What could be the reasons for such a name?

Jatun means big and yacu is river, there is one big river. There are a few Tamboyacu´s. These are rivers where with hospitable beaches, where travelers would spend the night. Huaicos are ravines and you will find them in every possible combination. Pogyos, or springs,

'Esófago Ardiente' o Tungurahua.
The unmistakable 'Burning Esofagus', or Tungurahua.

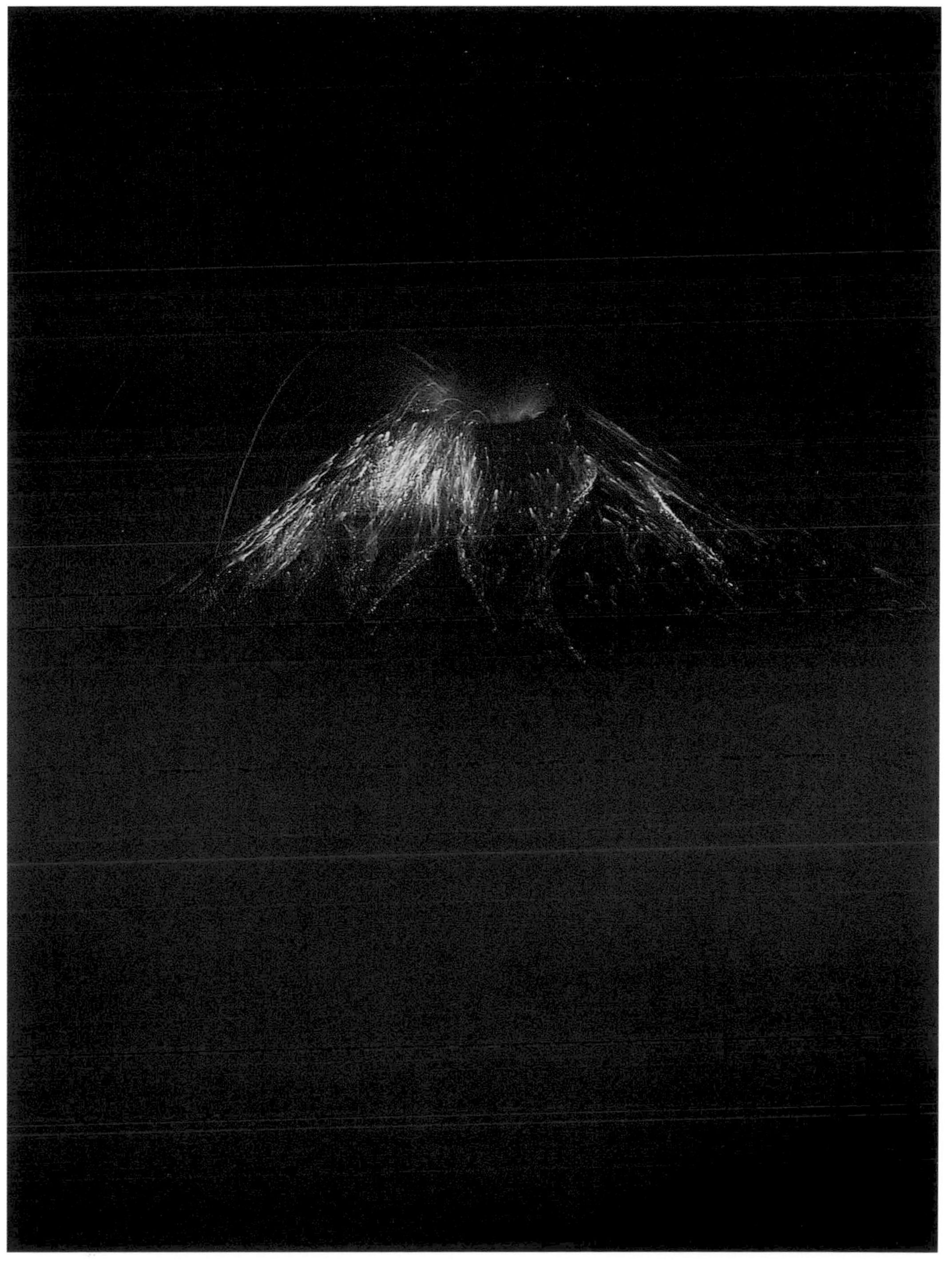

Antizana, 'la montaña al este', 'la del sol naciente', de la palabra anti viene Andes.
Antizana: the 'Mountain Toward The Rising Sun'. From the word anti comes the name of the whole range, Andes.

viajeros pernoctaban. Los huaicos son quebradas y las hay en todas las combinaciones posibles. Mientras tanto los pogyos son vertientes y abundan en los Andes, en el Chimborazo está Chuquipogyo que es 'la vertiente de las lanzas' y por ahí hay algunos Curipogyo ideales para inflamar la imaginación de los ansiosos, pues son 'las vertientes de oro'. También hay varias Curicocha o 'lagunas de oro' que aparte de agua contienen fantásticas leyendas,

De la misma manera muchas plantas y animales han llegado a la actualidad con los nombres quichuas con que antaño les bautizaron, algunos apelativos incluso son ahora universales como cóndor que viene de cuntur. Muchos de estos apelativos zoológicos o botánicos se utizan en la toponimia, de éstos algunos pocos ejemplos: Anga es el gavilán, taruga el venado, curiquinge un halcón y atug el lobo. Cubillín es cierto chocho (lupinus), sara el maíz, ugsha la paja y zuco la totora.

Los otros puntos de seguro tendrán nombres con algún significado, pero intentar una interpretación resulta temerario.

are numerous in the Andes, in Chimborazo there is the spring of the spears, Chuquipogyo. There are also the Curipogyos, streams of gold, a name to tease the ambitious minds. The Curicochas, lakes of gold, not only have crystal water but fantastic legends that accompany them.

Many animals and plants, also share quichua names that were given to them long ago. Some of these appellatives are universal, such as the name of the condor, which comes from the quichua word cuntur. Many of these zoological or botanical names are used in toponymy: anga the hawk, taruga the deer, curiquinge a falcon and atuc the wolf. Cubillin is a type of chocho (Lupinus), sara the corn, ugsha the straw and zuco the totora.

El 'Hombre de Viento y Nieve' o Carihuairazo.
'The Man of Wind and Snow', or Carihuairazo.

El 'Duro' o Sincholagua.
'The Strong One', or Sincholagua.

Morurco, un 'Grano de Cerro', sobretodo junto al Cotopaxi.
'The Pimple Peak', or Morurco, at the foot of Cotopaxi.

'El Viudo Solitario', o Pasochoa en un momento alegre.
'Lonely Widow', or Pasochoa, in a moment of happiness.

Cotacachi, el que 'muele sal'
Cotacachi or 'The Salt Grinder'

Ashcuquiru, 'diente de perro', se llamaba hasta hace poco este cerro,
ahora se lo conoce simplemente como Puntas.
Formely named 'Ashcuquiru' or dog teeth,
today it is simple known as Puntas.

Cubillines se llaman algunos cerros, entre otros
unos picos al sur del Altar, ¿ Será porque críian abundantes los chochos?
South of Altar rises Cubillin, The namesake of the lupinus plant.

‘El paso nevado’ o ‘El nevado que hay que cruzar’,
o más comúnmente conocido como Chimborazo.
‘The Snow that must be crossed’, or the ‘Snowy Pass’,
usually known as Chimborazo.

El ‘Bocio o Cuello quebrado’ o ‘Poncho sin cabeza’, el muchas veces mal traducido y muy conocido Cotopaxi.
‘Broken Neck’, or maybe ‘Headless Poncho’ - but in any case Cotopaxi.

Una cascada de hielo, junto al refugio en el Cayambe
An icefall, besides the refuge at Cayambe.

Conforme los glaciares se retiran, pozas y lagunas van ocupando lo más profundo de los valles erosionados. Flanco sur del Altar, Quindecocha.
As glaciers retreat, ponds and lakes take over the depressions carved by the ice. Altar's South face.

Los glaciares

Estos últimos años los glaciares de los Andes ecuatorianos han retrocedido apresuradamente, El calentamiento global y la menor precipitación colaboran para tal situación. Basta tomar a manera de ejemplo la última década, para ver que en la actualidad el borde inferior del hielo está unos doscientos metros verticales más arriba. Hay ahora en todas las grandes montañas paredes de roca que asoman entre el hielo, que hace veinte años no se las podía ver, paredes que sobresalen del hielo alrededor de cincuenta metros. Da esta circunstancia a pensar que el glaciar es, por lo menos en partes, esa misma cantidad de metros más delgado. ¿Será acaso que las cumbres por este mismo proceso han perdido un poco de metros en su altura oficial?

Whymper se topó en 1880, durante su intento por escalar el Altar, con seracs en la parte superior del valle de Collanes. Hanz Meyer hizo un grabado a principios de siglo, donde se ve al Altar luciendo gruesos glaciares en vez de la Laguna Amarilla, que en la actualidad ocupa el fondo de la caldera.

Los andinistas de los años setenta solían practicar la escalada en hielo en las enormes paredes terminales del glaciar del Antizana, hoy de aquellas no queda más que una u otra fotografía, el resto hace tiempo que emigró desleído al distante Pacífico.

Así mismo la frontera agrícola va trepando las lomas al mismo ritmo que el glaciar va retrocediendo. Los campesinos se atreven a labrar páramos vírgenes para sembrar sobre los cuatro mil metros, algo impensable hace poco por las continuas e inclementes heladas y nevadas de antaño.

Los insectos y otros animales no han quedado

The glaciers

During recent years the glaciers in the Ecuadorian Andes have receded rapidly, and the most probable cause appears to be global warming. We need only look at the last decade as an example. The lower edge of glaciers is now approximately seven hundred vertical feet higher that ten years ago. Today, on all the high mountains, walls of rock have appeared in the ice, which could not be seen twenty years ago. They now jut out from the ice by about a hundred and fifty feet. This would lead us to believe that the glacier is now, at least in parts, a hundred and fifty feet thinner. Perhaps the summits have also lost a few feet in height?

When Whymper tried to climb Altar in 1880 he came across ice seracs in the upper part of the Collanes valley. Hanz Meyer made a sketch of Altar at the beginning of the century; in it one can see thick glaciers at the bottom of the cauldron where the yellow lake lies today.

In the 1970s, mountaineers used to practice ice climbing in the enormous walls of the Antizana glacier. These ice walls were called Crespos. Today, there is no trace of the Crespos, except in photographs. They melted a long time ago time ago and emigrated to the distant Pacific Ocean. By the same token agriculture climbs the slopes of the hills at same rate as the glaciers recede. The farmers dare to work virgin paramos in order to plant potatoes at heights that surpass fifteen thousand feet. This would have been unthinkable a few years ago, due to the continuous harsh freezes and snowfalls.

Insect and other animals have not been left behind. They have also risen, along with the tempera-

La cara oriental del Iliniza Sur como lucía en 1997.
The Eastern face of South Iliniza seen in 1997.

atrás, han subido junto a la temperatura. Las migraciones verticales se han dado en varias especies, hoy hay zancudos en valles altos donde antes eran desconocidos, igual acontece con el murciélago vampiro y algunos colibríes, amén de otras especies animales y vegetales.

En el último medio siglo han perdido sus nieves perpetuas varios cerros: El Sincholagua y el Saraurco rara vez lucen blancos. Al Cotacachi subían los hieleros con pico y mulas hasta 1980 para proveer los mercados de Imbabura de hielo, ya no más, así quisieran. En el Tungurahua queda un pequeñísimo glaciar apenas visible bajo la ceniza. El Iliniza y Carihuairazo, otraora magníficas ascenciones en hielo, mantienen solamente vestigios de sus ventisqueros.

A este paso es plausible pensar que los altos cerros ecuatoriales podrían dejar eventualmente el blanco traje que llevan, para cambiarlo por el de triste gris color arena, o tal vez eventualmente cubrirse del café/verde vegetal, si el calor llegara a ser suficiente para que las plantas del páramo conquisten tan elevadas alturas.

ture. Various species have migrated vertically; today there are tropical mosquitoes in Andean valleys where before they were unknown. Vampire bats and some species of hummingbird, in addition to other fauna and flora, have also conquered greater heights.

At this rate it is feasible to think that the white cover of the high Ecuadorian Mountains could eventually be replaced with a sad gray sandy color. Alternatively, if temperatures rise enough for plants to conquer such heights, the mountains may eventually be covered in drab moorland.

Y como se la veía en el 2007.
The same face in 2007.

Glaciar contiguo al refugio, Cayambe 1982
The glacier beside the refuge on Cayambe in 1982

En 1999
In 1999

En 2006
In 2006

Peripecias en los vericuetos de un glaciar que ya no existe, Cayambe.
At play in the crevasses that no longer are, Cayambe.

Mientras el hielo y la nieve retroceden hacia lo alto, la agricultura conquista páramos hasta hace poco demasiado fríos.
Hoy en día la nieve es solamente un eventual visitante.
As the ice retreats up to the high mountains, agriculture conquers the lands formely too cold.

El barrio de las intrigas, la candente Tungurahua, frente al apabullado Carihuairazo y junto el fustrado Altar.
En primer plano el victorioso galán, el Chimborazo.
In the neighbourhood of intriges, satnds the fiery Tungurahua, and before her the humble Caihuirazo and the frustrated Altar,
In the foreground rests the victorious Chimborazo.

La 'mama' Tungurahua, a ratos iracunda, otros coqueta, a veces fogosa, de cuando en cuando frívola, pero siempre con mucha presencia.
Mourning her lover, Tungurahua spits with frustration and anger.

Mitología

Los cerros aunque parezca, no son sólo cerros, son hombres o mujeres, son buenos o malos, celosos o bandidos, jóvenes o viejos, sabios poderosos o divinidades menores y mezquinas. A ellos se agradece cuando las cosechas producen bien, se les pide para asegurar la buenaventura de los recién nacidos, también de los recién casados. Se les achaca los años secos, los muy lluviosos, los terremotos y aunque no ocupen ningún nicho en la iglesia, a ratos en cuestiones de influencia estos cerros o Apus, como se les llama con reverencia, se disputan el puesto con los santos católicos. Si se nublan están malgenios, si caen truenos en sus cumbres están iracundos. Andan rodeando los valles con apariencia de comunes mortales y recompensando la bondad o castigando la avaricia de la gente con la que se topan. Si hay un deslave en sus laderas es porque algún advenedizo estuvo a punto de encontrar los tesoros que con recelo ocultan. Son capaces, según dicen los mayores, de demostrar infinita ternura o temible enojo.

Cuentan estos mismos mayores, que cuando joven el Imbabura correteaba a las lindas guambritas (chicas), de todas ellas se casó con María de las Nieves Cotacachi. De esa unión nació un guagua (niño) que no ha acabado de crecer, por apelativo lleva el de Yanaurco y por apellido el de Piñán, está al lado de su madre y juega entre lagunas, montes y nieblas. Ficticia o no la fama de huaynandero (conquistador de corazones) de este cerro, parece que hubo muchos vástagos más. Hasta hace poco era cosa común entre las longuitas (jóvenes muchachas) responsabilizar al taita (padre) Imbabura por

Mitology

Mountains, despite their appearance, are not just mountains. They are male or female, good or bad, jealous or mischievous, young or old, powerful sages or lesser deities. People thank them when the harvest is good and they ask them to ensure the good fortune of newborns and newly weds. They are blamed for the dry years, the rainy years and for earthquakes. And although they have no place in the church, on influential occasions these mountains, or "apus" as they are reverently called, challenge the position of Catholic saints. If it is cloudy they are considered to be bad-tempered and if thunder crashes over their peaks they are said to be angry. They wander the valleys like common mortals and reward the goodness or punish the miserliness of the people they encounter. If part of the mountain side falls away it is because an outsider was about to discover the treasures that it suspiciously guards.

Old people say that they are capable of showing both infinite tenderness and dreaded anger. These elder generations recall that when Imbabura was young and chasing all the pretty girls, he decided to marry the mountain nextdoor; Maria de las Nieves Cotocachi (Maria of the snows Cotocachi). From this union a young boy was born who has not yet stopped growing. His name is Yanaurco de Piñan and he remains beside his mother playing among the misty lakes and hills. Whether this is true or not, it appears there were many more offspring. Until recently it was common for young girls to blame the taita (father) Imbabura for their unwanted pregnancies. Now that Imbabura has grown

Sin poder 'echarle el ojo' a su vecina Tungurahua, el Altar se contenta con su propio reflejo.
Altar, the frustrated suitor, gets solace in his own reflection.

preñeses incómodas de explicar de otra manera. Ahora el Imbabura ha madurado, la paternidad de los guaguas, cuando no hay más recurso, se endilga a otros seres mitológicos como el "chuzalongo". A esta montaña la ve la gente común como a un protector y los shamanes como a un poder superior capaz de inspirarlos y guiarlos.

El Chimborazo pese a ser el más grande no tiene el mágico poder que posee el Imbabura. Aunque cuentan, los que así lo oyeron, de su inmensa fuerza demostrada a las claras cuando hace mucho tiempo su mujer, la mama Tungurahua poseedora de un carácter eruptivo y según parece algo fogoso, tuvo un romance con el vecino Altar. Difícil parece les fue ocultar el secreto idilio, sobretodo tomando en cuenta que el agraviado es tan alto que todo lo ve. Más temprano que tarde taita Chimborazo se dio cuenta del engaño y descargó toda su furia contra el inoportuno que le robaba los cariños de su amada. El desdichado Carihuairazo salió en mala hora a favor del Altar, que iba recibiendo la peor parte en la contienda. Pero ni entre los dos, pudieron contra el poderoso y celoso Chimborazo. Desde entonces ambos perdedores lucen maltrechos, sus cumbres derrumbadas y su gallardía apabullada. La Tungurahua inconforme lanza humos y fuegos cada que se acuerda de su frustrado romance.

old, the paternity of the children is attributed to other mythological beings such as the Chuzalongo. People consider this mountain a protector and shamans see it as a superior power capable of inspiring and guiding them. Chimborazo, despite being the highest mountain in Ecuador, does not have Imbabura`s magical power. However, people do talk of its immense strength. This was demonstrated a long time ago when his wife, Tungurahua, who had a fiery and eruptive nature, had a love affair with neighboring Altar. It was difficult for them to hide their idyllic secret, especially because the wronged person was so tall and could see everything. Sooner rather than later, taita Chimborazo discovered the deception and unleashed all his fury on the ill-fated mountain who was stealing the affections of his beloved.

Carihuairazo foolishly came to the aid of Altar, who was on the losing side of the contest. Not even the two together could stand up to the powerful and jealous Chimborazo. Since then, the two losers battered with their peaks collapsed and their pride crushed. The discontented Tungurahua spits smoke and fire each time she remembers her frustrated love affair.

No hay lugar en el mundo más cerca al cielo o las estrellas que la helada cumbre del Chimborazo.
There is no place on earth nearer to the sun or the stars than the frozen summit of Chimborazo.

Los páramos que rodean el Chimborazo son áridos, los deshielos se pierden en las arenas y aparecen luego en los 'pogyos' vertientes.
The highlands sourrounding Chimborazo are dry, the water melted from the glacier sips into the sandy soil, it later flows out from springs lower down.

Chimborazo

El connotado alpinista inglés Edward Whymper fue el primer humano, del que la historia da fe, en posar sus pies sobre la cumbre del Chimborazo. Cuando lo logró en enero de 1880 poco supo él; que en ese momento se convirtió en el hombre que, desde el principio de los tiempos, más se había acercado al sol. Logro obtenido no por algún proceso místico inducido por las grandes alturas carentes de oxígeno o alguna alucinación producto del excesivo frío, sino porque, no hay pues otro sitio en la superficie de la tierra más alejado del centro del planeta, ni por lo tanto, ningún otro lugar donde se pudiera estar más cerca al astro rey, que la cúspide del Chimborazo.

Hoy en día sigue siendo igual en cuanto a montañas se refiere. No hay otra manera de acercarse más a las estrellas a no ser de ir embarcado en avión o cohete.

Fueron los académicos franceses, que llegaron a estos lares en 1735 a comprobar la teoría de Newton que intuía que la tierra no era una esfera sino una elipse, los que contribuyeron al saber humano y de paso al orgullo ecuatoriano con este peculiar dato. Comprobaron después de fatigosas mediciones y sesudos cálculos que nuestro planeta era más bien algo atachado en los polos y, por ende más grueso en la línea del ecuador, todo por la fuerza centrífuga. Los últimos y más exactos datos nos dicen que; la distancia entre el Polo Norte y el Sur es 21.386 metros menos que la que hay entre el monumento a la mitad del mundo al Norte de Quito y su antípoda.

El Everest mide 8848 metros sobre el nivel del

Chimborazo

Edward whimper, the famous English mountaineer, was the first man in recorded history to set foot on the summit of Chimborazo. When he accomplished this feat in January 1880, little did he realise that he was then the man who had come closest to the sun since the beginning of time. This exploit was not achieved by a mystical process caused by the lack of oxygen at great heights, nor by hallucination resulting from the cold, but simply because there is no other point on the earth`s surface that is further from its centre. The situation remains the same today. Nowhere other than on the summit of Chimborazo can one come closer to the stars, unless in an aeroplane or a rocket.

A team of French academics reached this conclusion in 1735, when they proved Newton`s theory that the earth is not a sphere but an elipse, thus contributing to both human knowledge and Ecuadorian pride. After difficult measuring processes and complex calculations, they proved that our planet bulges on the equator due to centrifugal forces. The latest and most accurate information tells us that the distance between the poles is 70,146ft less than the distance between the monument celebrating latitude 0° (north of Quito) and its antipodes.

The top of Mount Everest lies at 29,021ft above sea level, and at first glance, it would be the most sought-after mountain for those wishing to reach the highest point on earth. However, its disadvantage is that it lies at a great distance from the Equator, between India and Tibet, at 28° Northern latitude. Although Chimborazo is only 20,556ft high above sea level, it

La alta cordillera al norte del soberano.
The high range North of the ruler.

mar, es a primera vista el contrincante con mayores opciones en la competencia de la montaña más alta del planeta, o lo que da lo mismo la que sobresale más en la superficie terrestre. Pero está lejos de la equinoccial, allá entre el Nepal y el Tíbet, a 28 grados de latitud Norte, por lo que poco beneficio obtiene de esta deformación ecuatorial. El Chimborazo aunque con sólo 6.267m, se levanta apenas a grado y medio al sur del equinoccio. Por lo tanto resulta; midiéndolo desde el centro de la tierra alrededor de 2.100* metros más alto que el Everest. Ni siquiera el Cayambe con sus 5.790m pero cuya cumbre dista pocos segundos de la linea ecuatorial vence al Chimborazo. Cierto que si el mar desaparecería ya no quedaría otra referencia para medir las cumbres que el centro del planeta. Pero ni en dificultad, ni por la escasez de oxígeno, como tampoco por la fama; nuestro Chimborazo se asemeja al Everest.

***Estos cálculos se basan en la suposición de que el planeta es una elipse perfecta, descrita en la siguiente ecuación $(X^2/A^2)+(Y^2/B^2)=1$, donde el eje ecuatorial es de 12.756.322km y el eje polar es 21.386 km menor. Estos datos son solamente estimados.**

rises up only one and a half degrees south of the Equator. This means that when measured from the centre of the earth, it is almost 7,000ft* higher than Everest. Not even Cayambe, which is 18991ft high above sea level but only a few seconds from the Equator, surpasses Chimborazo. If the sea disappeared and the centre of the earth was the only remaining reference by which to measure peaks, this measurement would be official.

*** These calculations are based on the assumption that the earth is perfect ellipsoid, described by the following equation (x/A)+(Y/B)=1,where the equatorial axis is 12,756.322km and the polar axis is 21,386km smaller. These numbers are only estimates.**

La amplia caldera del Guagua Pichincha.
The wide couldroum of Guagua Pichincha.

La caldera todavía activa del Pululahua, mientras llega la próxima erupción sus profundidades están ocupadas por despreocupados agricultores.
The wide and still active couldroum of Pululahua. While the next eruption takes place the basin is tilled by a bunch of careless farmers.

Los cráteres

Siendo el Ecuador tierra de volcanes no hay razón para sorprenderse del gran número de cráteres. Algunos están en pleno trabajo y humeando, otros en siesta y otros más bien dormidos. De aquellos hay algunos que albergan en su interior glaciares, otros contienen lagunas o están cubiertos de bosques o hasta cultivos y caseríos. Son cráteres que muchas veces por lo denso de la lava de estos volcanes, acaban sus días de actividad en tremenda explosión, al volar uno de sus lados, como en el Altar, la gran cima cede su trono a una línea de cumbres menores que terminan por simular a una herradura en cuanto a la forma. Entonces el cráter cambia de nombre por uno que demuestra su avanzada edad, se transforma en una caldera.

Pero las calderas no siempre están extintas, algunas veces el volcán continúa activo y lentamente construye un nuevo cono al interior de las erosionada caldera, así sucede con el Pululahua y el Reventador. Con el tiempo el hijo crece y eclipsa a la madre y un renovado volcán aparece en el paisaje. El actual Cotopaxi y Tungurahua se levantan sobre los restos de sus antepasados.

The craters

Ecuador is the land of volcanoes, so the number of craters to be found in this country comes as no surprise. Some are active and smoking while others are taking a siesta. The remainder are sound asleep. Some of the later are home to glaciers, while others contain lakes or are covered in forest or even crops and dwellings. Due to the density of the volcano's lava, the activity of some of these craters ended with an almighty explosion, which demolished one side of each cone, such is the case with Altar. After the eruption, the main summit cedes its throne to a line of smaller peaks, which takes the form of a hors shoe. Then the crater becomes known as a cauldron, which seems to imply maturity and greater respect.

But cauldrons are not always extinct and sometimes the volcano remains active and slowly builds a new cone inside the erupted cauldron. This is the case with pululahua and reventador. In time the child cone can grow and is capable of eclipsing its mother, then a renovated volcano appears. Cotopaxi and Tungurahua rise up in this way on the remains of their parents.

La caldera del cerro Puntas, atrás se puede ver el Antizana.
The eroded couldrom of Puntas, behind Antizana can be seen.

La extinta caldera del Pasochoa está ocupada por un bosque,
vestigio de lo que fue la vegetación andina antes de la conquista española.
The extint crater of Pasochoa is covered by Andean forest, a vestige of
what once extended throughout the inter-andean valleys.

El humeante y muy activo cráter del Sangay,
en un esporádico momento de sosiego.
On the edge of Sangay's highly active crater,
during a rare moment of calm.

Caricocha lleva por nombre la laguna
que enfría el extinto cráter del Mojanda.
The 'male lake' is the name of the water mass
that cools the extint crater of Mojanda.

Un cráter sumergido, con su cono como islas,
Cuicocha al pie del Cotacachi.
A sumerged crater, with its cone as islands.

El peculiar Quilotoa, un cráter sin montañas.
A peculiar crater without a mountain, Quilotoa.

El profundo y temido cráter del Cotopaxi visto desde la cumbre.
The crater of Cotopaxi as seen from the top.

La mama Tungurahua y la población de Baños.
Baños besides the active Tungurahua.

La laguna 'amarilla' inquilina de la antigua caldera del Altar.
Inside the Altar's cauldrom.

Donde antes hubo fuego hoy hay hielo, la caldera del Antizana.
Where before was fire, now there is ice, the Antizana Caldera.

El Cotopaxi al amanecer, visto desde los Ilinizas.
Cotopaxi at sunrise, as seen from Iliniza.

Atrás del Cayambe hay un escondido cerro, raramente visitado: El Saraurco
Saraurco, a hidden peak behind Cayambe is a rarely visited peak.

Las cumbres

Con diez picos sobre los cinco mil metros y otra veintena que supera los cuatro mil; la mayoría de ellos muy accesibles, Ecuador es un paraíso para el andariego, amante de las montañas y los espacios abiertos.

Las cumbres están repartidas en tres cordilleras y en una cantidad de nudos montañosos que unen a las anteriores. A diferencia de otras cadenas, aquí los nevados están dispersos. Los lomos de la cordillera con frecuencia se encuentran sobre los cuatro mil metros, pero la latitud logra que tan grandes alturas estén cubiertas de páramo y hasta bosque en vez de hielo perpetuo. El Cayambe es el único lugar, donde temperatura y latitud alcanzan los cero grados. La línea ecuatorial pasa bastante cerca de la cumbre.

The summits

With ten peaks measuring over 16,000ft and another twenty or so at over 13,000 ft. and most of them very accessible, Ecuador is a paradise for those who love to climb mountains and travel in open spaces.

The peaks are scattered over three ranges and the many knots that join these ranges together. In contrast to other mountain chains, here the snow-capped summits are dispersed. High altitudes in the range are common, but the latitude means that these great heights are often covered in moorland, and even forest, instead of permanent ice. Cayambe is the only place were both the temperature and the latitude reach zero degrees. The Equator crosses very near the peak.

El Zumaco es un volcán rodeado de selva, donde el machete remplaza el piolet.
Zumaco is a volcano surrounded by jungle, here the machete replaces the ice axe.

Chimborazo	6.310 m	Chimborazo	20,700ft
Cotopaxi	5.897 m	Cotopaxi	19,340ft
Cayambe	5.790 m	Cayambe	18,990ft
Antizana	5.755 m	Antizana	18,710ft
Altar	5.320 m	Altar	17,450ft
Iliniza Sur	5.266 m	Iliniza South	17,272ft
Sangay	5.230 m	Sangay	17,150ft
Carihuairazo	5.020 m	Carihuairazo	16,460ft
Iliniza Norte	5.016 m	Iliniza North	16,450ft
Tungurahua	5.016 m	Tungurahua	16,450ft
Cotacachi	4.939 m	Cotacachi	16,200ft
Sincholagua	4.893 m	Sincholagua	16,070ft
Quilindaña	4.877 m	Quilindaña	16,000ft
Corazón	4.786 m	Corazon	15,700ft
Guagua Pichincha	4.784 m	Guagua Pichincha	15,691ft
Rumiñahui	4.722 m	Rumiñahui	15,488ft
Chiles	4.720 m	Chiles	15,483ft
Quilimas	4.711 m	Quilimas	15,450ft
Soroche	4.698 m	Soroche	15,400ft
Saraurco	4.677 m	Saraurco	15,340ft
Cerro Hermoso	4.639 m	Cerro Hermoso	15,210ft
Achipungo	4.630 m	Achipungo	15,186ft
Imbabura	4.630 m	Imbabura	15,180ft
Quispicacha	4.538 m	Quispicacha	14,884ft
Puntas	4.463 m	Puntas	14,630ft
Mojanda	4.263 m	Mojanda	13,983ft
Pasochoa	4.230 m	Pasochoa	13,770ft
Quilotoa	4.010 m	Quilotoa	13,150ft
Zumaco	3.900 m	Zumaco	12,722ft
Reventador	3.485 m	Reventador	11,431ft
Pululahua	3.250 m	Pululahua	11,431ft

El Corazón, uno de tantos picos menores.
Corazon, one of the many lesser peaks.

El activo volcán Sangay donde el fuego y la nieve contínuamente conviven.
Sangay is an active volcano, here the snow and fire are neighbours.

CLUB

Quito con sus inmediatos vecinos, los Pichinchas.
Quito amongst mountains.

Invitados en un matrimonio salasaca.
Guests to a Salasaca marriage.

Los habitantes

Dejando de lado a los glaciares de por sí inhóspitos, los Andes albergan un buen tanto de gente en tres muy diferentes y extensas zonas; los flancos exteriores, que son las partes más bajas de la cordillera, que cuando no se hallan intervenidos, permanecen cubiertos de bosques, y cuando sí lo están es por causa de colonos que se han mudado a estos pliegues montañosos, cubiertos de espesas neblinas y bañados por continuas garúas para ganarle tierra al monte. Esta es tierra de orquídeas, bromelias y café de altura.

Más alto y entre las cordilleras está la zona de los valles interandinos, la más habitada en cuanto a los Andes se refiere desde tiempos remotos. Alberga ciudades y pueblos, cultivos y pastos. Aquí están ciudades como Cuenca y Riobamba, Ambato e Ibarra, también Quito (capital de la república). Regados a lo ancho y largo hay un sin fin de pueblos, algunos mestizos y otros indígenas.

Más alto todavía están los páramos, tierras altas y desoladas, habitadas escasamente, y labradas con dificultad. Esta es tierra sobretodo de indígenas, que la colonizaron escapando a la conquista española. Es gente de tórax ancho y mejillas coloradas, consecuencia de vivir lo primero con poco oxígeno y lo segundo tan cerca al sol. Aquí arriba donde las temperaturas suelen saludar el día con mínimas bajo cero, es obligatorio en el uniforme de los ciudadanos; el poncho y los zamarros.

De estos últimos están compuestas las brigadas de porteadores que ayudan a llevar el equipo de los que se aventuran con mucha carga a lejanos parajes.

The people

Apart from the glaciers, which are inhospitable the Andes are home to many people in three very different and extensive areas. The outside part of the range-the lowest area- is usually covered in could forest. However, some parts have been spoiled by colonists who moved to these folds in order to gain ground from the mountainside. This land, which is covered in thick mist and shrouded in drizzle, is home to orchids, bromeliads and high altitude coffee.

Higher up between the ranges lie the inter-Andes valleys. This area has been the most inhabited part of the Andes ever since settlement began. Crops and fields are found here, as well as cities and towns such as Cuenca, Riobamba, Ambato, Ibarra and Quito, the capital of the republic. There are endless villages scattered all along the range, some of which are inhabited by 'mestizos'- people of mixed blood whereas indigenous people inhabit others.

At an even greater altitude are the 'paramos', high and desolate lands, which are scarcely inhabited and difficult to work. This land belongs above all to indigenous people, who colonized it when they escaped from the Spanish conquest. The people here have a wide torax and colored cheeks, a result of living with little oxygen and so close to the sun. At these heights, where the day usually starts with temperatures below freezing, a poncho to cover the upper half of the body and 'zamarros', thick leather pants, to protect the lower half, are mandatory.

The latter are often porters who help carry the equipment of those who venture to distant places with a heavy load.

La choza, arquitectura vernácula en vías de extinción.
A straw hut, part of traditional architecture being lost.

Las otavaleñas en la procesión de Santa Lucía.
The women of Otavalo attending a religious meeting.

Un arriero de toros bravos en los páramos de Limpios, a los pies del Cotopaxi.
A herder of fighting bulls in the 'páramo' of Limpios at the base of Cotopaxi.

Transporte escolar en las tierras altas de Cumbijín.
Returning from school in the Cumbijin highlands.

El mercado en Saquisilí.
Market day at Saquisili.

Segundo día de tres en el largo camino a la base del volcán Sangay.
The second of three days on the long trail to the base of the Sangay volcano.

Habitantes de los altos páramos de Ayapungo a los pies del Soroche.
Inhabitants of the high 'páramos' of Ayapungo, at the foot of Soroche.

Bosque de 'pantzas' o *polylepis* sobre los cuatro mil metros de altura en el Antizana.
A high altitude forest above thirteen thousand feet in the heights of Antizana.

Nototriche hartwegii, florcita endémica en los páramos del Iliniza.
Nototriche hartwegii, in the 'páramos' of Iliniza.

Fauna y flora

Son los Andes precisamente los que hacen tan variado al país, sin ellos todo sería una sola selva sin otra cumbre que las copas más altas del dosel. Al pie de la cordillera, las lomas y cerros están cubiertas por selva, en las ramas de los árboles se balancean monos y perezosos, los ritmos de fondo los ponen las loras y los gallitos de la peña.

Aunque con cambios en tamaño y especies, los árboles logran trepar hasta los cuatro mil metros donde ya el páramo se vuelve rey y señor. Aquí los cielos pertenecen al cóndor y al curiquinge y, por los pajonales transitan venados cola blanca y vicuñas. Hay pumas y unos cánidos que se parecen más a los zorros pero la gente los llama lobos. También llegan animales, que no tienen problemas en atravesar las fronteras entre el bosque nublado y el páramo, entre estos trashumantes están los lastimosamente escasos osos de anteojos y los igualmente diezmados tapires de altura.

El reino vegetal también ha de adaptarse a los grandes cambios que las alturas producen, los enormes árboles del pie de monte son nada más un famélico reflejo en la línea superior del bosque. Más alto, la paja de páramo domina el paisaje y entre ellas muchas flores crecen al ras del suelo para combatir frío y viento. Las hojas afelpadas de los senecios y algunas valientes pajas crecen aisladamente hasta por sobre los cinco mil metros. Más arriba ya los únicos representantes son los líquenes que se sujetan en las pocas piedras que el glaciar perdona.

Fauna and flora

The Andes mountains make Ecuador an incredibly varied country. Without this mountain range the country would be a flat jungle and the only heights would be the highest treetops in the forest canopy. At the foot of the Andes, the hills are covered with jungle; monkeys and sloths balance on tree branches and parrots and cocks-on-the-rock provide the background sounds.

Although the trees vary in size and species, they manage to climb up to thirteen thousand feet where the ´paramo` then takes over. Here, the skies belong to the condor and the caracara and white tailed deer and vicunas wander the scrublands. There are mountain lions, and canines that people call wolves, although they actually look more like foxes. Neighbouring animals also upper who have no trouble in crossing the border between the cloud forest and the high altitude moorlands. Included in this group of nomads are the unfortunately rare spectacled bears and the equally endangered high altitude tapirs.

The flora kingdom also has to adapt to the great changes that occur in high altitude. Trees become smaller as the altitude increases. Higher up, the grass in the high altitude paramos dominates the scenery and flowers grow at ground level so as to fight against the cold and the wind. The velvety leaves of the 'senecio' and some brave grass grow in isolation at over sixteen thousand feet altitude. Further up the only representatives are lichens that cling to the few stones whose presence have been spared by the glacier.

Senecio - *Culcium canescens*

Dedos de Dios - *Lycopodium crassum*

Mortiño - *Vaccinium floribundum*

Paja - *Stiipa ichu*

Chuquirahua - *Chuquiraga jussieui*

Frailejón - *Espeletia pycnophylla*

Romerillo - *Hypericum laricifolium*

Urcutañi - *Hypochaeris sessiflora*

Achupalla - *Puya clava-herculis*

Arquitecta - *Lasiocephalus ovatus*

Candelilla - *Castilleja arvensis*

Caspachina - *Gentianella cerastoides*

Valeriana - *Valeriana rigida*

Ashpacorral - *Bomarea hirsuta*

Chocho silvestre - *Lupinus sp*

Cacho de venado - *Halenia weddelliana*

Popa - *Aetanthus cf. nodosus*

Urcurosa - *Ranunculus gusmannii*

Cóndor - *Vultur gryphus*

Curiquinge - *Phalcoboenus carunculatus*

Carpintero andino - *Piculus rivolii*

Lesbia nuna

Estrella del Chimborazo - *Oreotrochilus chimborazo*

Cola larga - *Lesbia victoriae*

Vicuña - *vicugna vicugna*

Conejo de páramo - *Sylvilagus brasiliensis*

Oso de anteojos - *Tremactus ornatus*

Lobito de páramo - *Dusyciun culpaeus*